Éditeur

LE MAGAZINE QUÉBEC SCIENCE

Jean-Marc Gagnon, directeur

C.P. 250, Sillery, Québec G1T 2R1

Dépôt légal

Quatrième trimestre 1976

Bibliothèque nationale du Québec

Bibliothèque nationale du Canada

ISBN-0-919712-00-2

Yanick Villedieu

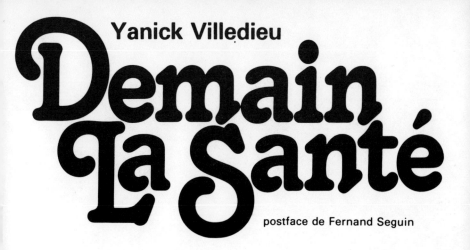

Demain La Santé

postface de Fernand Seguin

LES DOSSIERS DE QUÉBEC SCIENCE

REMERCIEMENTS

Mes remerciements vont à tous ceux et à toutes celles qui ont permis à ce livre de journaliste de voir le jour, en accordant des entrevues, en répondant à des questions, en fournissant des documents, en émettant des opinions, en témoignant d'expériences vécues. Ou encore en organisant, alors que je travaillais à réunir les matériaux de base de ce dossier, des événements dont ma recherche a pu tirer un large profit: le colloque de l'Association canadienne des sociologues et anthropologues de langue française, à Sherbrooke, du 12 au 14 mai 1976, et celui de la revue *Critère,* au Mont-Orford, du 4 au 6 juin 1976 (la revue a d'ailleurs publié à cette occasion deux importants numéros spéciaux sur la santé). La tenue de ces deux colloques ne vient-elle pas confirmer l'importance de relancer la discussion publique sur ces questions de la santé?

TABLE DES MATIÈRES

INTRODUCTION

Dix ans après la création, en novembre 1966, de la Commission d'enquête sur la santé et le bien-être social (Commission Castonguay-Nepveu), la question de la santé est plus que jamais d'actualité au Québec. Malgré le chambardement des structures, malgré l'invasion toujours plus marquée de la technologie médicale et malgré l'escalade, la prodigieuse escalade aux dollars, l'état de santé de la population reste en effet stationnaire, quand il ne se détériore pas.

Les maladies cardio-vasculaires, les cancers et les accidents — autrement dit notre civilisation du stress, de la pollution et de la vitesse — expliquent 4 décès sur 5. Les disparités entre régions restent énormes, à tel point qu'on a dit que pour vivre en santé, le Québécois devrait naître à Montréal et émigrer en Gaspésie passé le cap des 35 ans. Les situations d'inégalité face à la maladie et à la mort demeurent criantes et l'on ne fait que commencer à soupçonner l'incroyable ampleur des problèmes de santé industrielle. La surconsommation de médicaments, de tabac et d'alcool fait d'incalculables ravages dans nos sociétés de drogués béquillards. Les maladies vénériennes, que la médecine et sa chimie savent pourtant parfaitement juguler, reviennent en force. Quant à notre état de santé mentale, il semble de plus en plus être en piètre qualité.

Si le dossier est si noir, c'est peut-être d'abord dû au fait que nos exigences ont changé. Qu'en l'espace de dix ou vingt ans, le vocabulaire s'est subtilement transformé, comme d'ailleurs la réalité sociale, culturelle ou économique dans laquelle nous vivons. D'absence de maladie qu'elle était, la santé est devenue, selon la définition de l'Organisation mondiale de la santé (OMS), «un état de bien-être physique, mental et social complet». Ou plus encore, pour reprendre les mots d'un psychiatre et chercheur montréalais, Jean-Yves Roy, «un état tel que toute la vie devient occasion de croissance[1]». Ces définitions *positives* de la santé, en plus de remettre la maladie à sa place, ont le mérite de dépasser le biologique. De l'englober dans une vision plus large de la santé pour en faire, comme dit ce grand savant qu'est René Dubos, «un état qui permet à celui qui en jouit de se consacrer pleinement à son ou à ses projets, et qui met donc toujours en jeu des forces socio-culturelles non inscrites dans le code génétique[2]».

Mais il y a eu bien plus qu'une altération du vocabulaire. Il y a eu un certain nombre de prises de conscience. Celle, par exemple, d'une impasse dans laquelle nous nous sommes fourvoyés et qu'on pourrait ainsi résumer: la médecine traditionnelle, notre médecine, se révèle impuissante à résoudre les problèmes de santé propres aux sociétés industrielles avancées; mais en même temps, cette même médecine, axée sur la maladie, occupe toute la place dans le domaine de la santé.

1. *ROY, Jean-Yves*, «Médecine: crise et défi», *Recherches sociographiques*, 1975. (Les références bibliographiques détaillées des notes infrapaginales apparaissent dans la bibliographie, en fin de volume.)
2. Lors de sa conférence au colloque de la revue *Critère*, au Mont Orford, en juin 1976.

Arrivés en effet à un certain niveau de «santé», mais aussi plafonnés depuis plusieurs années à ce même niveau, nous commençons à réaliser qu'il ne sert plus à grand-chose de rajouter d'autres énergies ou d'autres dollars dans le système de lutte contre la maladie tel qu'il est et tel qu'il fonctionne. Que plus d'hôpitaux, plus de médicaments, plus de quincaillerie électronique, aseptisée et stérile, ne pourront faire beaucoup mieux que tous les hôpitaux, tous les médicaments et toute la quincaillerie dont nous disposons déjà. Qu'il nous faudrait agir sur d'autres variables que celles de la quantité de services consommés, ou produits, ou offerts, ou injectés, ou administrés par voie de ceci ou par voie de cela. Bref, qu'il serait plus profitable de planifier la santé que de subventionner la maladie.

Il faut donc, pensent plusieurs, «prendre le virage vers la santé». Car investir encore et encore dans la maladie, c'est chercher à remplir un tonneau sans fond. Le petit hic pourtant, c'est que personne ne sait vraiment par quel bout commencer — même si chacun y va de sa petite suggestion ou de ses grandes stratégies. Cette espèce d'unanimité dans la perplexité est d'ailleurs l'un des phénomènes les plus frappants pour l'observateur ou pour le journaliste, quand il a fini de se promener de médecins en technocrates, d'universitaires en épidémiologistes, de planificateurs en usagers ordinaires. La seule chose qui soit à peu près certaine, pour les uns comme pour les autres, c'est que ce n'est pas en dessinant un petit soleil sur les cartes d'assurance-maladie qu'on va inventer l'assurance-santé...

Plus sérieusement, un fait retient l'attention de l'analyste: la force du modèle médical, l'étendue du pouvoir médical dans ce système de maladie qu'on n'arrive pas à convertir en système de santé. Il ne s'agit pas de faire ici de l'anti-médecine ni encore moins d'accabler des individus, les médecins, sous le poids de tous les péchés du monde. Mais force nous est de constater que la médecine comme pratique et que les médecins comme professionnels occupent une situation de quasi-monopole dans l'univers de la maladie et de la santé. Et que toute transformation un tant soit peu significative de notre système de soins passe inévitablement par une remise en question de la médecine, de la pratique médicale et de ceux qui en vivent.

Cette remise en question, méfions-nous-en, ne saurait toutefois être une panacée à tous nos problèmes. Si notre médecine est plus curative que préventive, plus individualiste que sociale et communautaire, plus technologique et spécialisée qu'humaine et globale, plus axée sur la production à la chaîne que sur le service à la collectivité, c'est aussi parce que tels sont les modèles socio-culturels que lui impose notre société de la consommation, de la machine et de la piastre. Et si nos modèles socio-culturels (que la médecine, soit dit en passant, contribue elle aussi à forger) sont tels, c'est qu'à leur tour ils trouvent leurs fondements dans les principes de base de notre système économique et politique : valorisation de la libre entreprise et du profit, et primauté de la propriété privée et des intérêts individuels sur les aspirations collectives.

Le «virage vers la santé», si jamais il se prend, exigera donc beaucoup plus qu'une réforme de la médecine ou des structures du système de soins. Il exigera une transformation de nos modèles socio-culturels de la maladie et de la santé. Et, en dernière analyse, un bouleversement des principes économiques, sociaux et politiques qui régissent notre société libérale avancée. Notre société à but lucratif.

LE DIAGNOSTIC

1.
DE QUOI
MEURENT LES QUÉBÉCOIS

Curieusement peut-être, c'est en parlant de maladie et de mort que nous allons ouvrir le dossier santé des Québécois. Non pas que nous tombions de ce fait dans un piège vieux comme la médecine curative. Mais tout simplement parce que les données sur la question sont somme toute assez pauvres et plutôt limitées. Taux et causes de mortalité selon l'âge, le sexe ou la région. Espérance de vie à la naissance, à un an ou à tel ou tel âge. Taux de morbidité hospitalière et causes d'hospitalisation. Incidence de certaines maladies à déclaration obligatoire. Tels sont en gros les instruments actuellement disponibles pour mesurer le niveau de santé — ou de maladie — des Québécois.

Rares, les données qu'on appelait naguère les «statistiques vitales» ont de plus un autre défaut: elles ne font que décrire une situation. On sait avec une relative exactitude combien d'individus meurent et à quoi sont attribués leurs décès. Mais on ne sait pas très bien *qui* étaient ces individus ni *pourquoi* ils ont pu contracter le mal qui les a emportés. Ou s'il existe des corrélations entre le taux de telle ou telle maladie et d'autres indicateurs sociologiques, économiques, culturels même.

De fait, les études qui cherchent à établir ce genre de corrélations, à trouver en quelque sorte *les causes*

13

des causes, sont encore presque inexistantes dans notre milieu. Et leurs auteurs, faut-il le préciser?, viennent d'horizons scientifiques autres que la médecine. Il existe bien une pléthore de données et de travaux sur la quantité et les coûts des services produits, payés ou consommés, mais nous en ferons abstraction pour le moment car ils ne renseignent pas à proprement parler sur l'état de santé de la population. Et c'est donc du côté des indicateurs sanitaires traditionnels que nous nous tournerons dans un premier temps pour essayer de tracer à grands traits le portrait de l'état de santé et de non-santé des Québécois.

LA MORTALITÉ ET L'ESPÉRANCE DE VIE

Un peu plus de 42 000 Québécois sont morts en 1974. Presque 80% d'entre eux — 4 sur 5 pratiquement — ont succombé à l'une ou l'autre des trois grandes causes de mortalité que connaissent notre époque et notre civilisation occidentale: les maladies de l'appareil circulatoire (48% des décès), les cancers de tous genres (22%) et les accidents (10%).

Fait important: dans chacune de ces trois grandes catégories, les causes de décès les plus souvent diagnostiquées sont aussi des causes dont la tendance, en général, est à la hausse. La mortalité due aux maladies ischémiques du cœur, ou maladies coronariennes (61% des cas mortels de maladies de l'appareil circulatoire, soit plus d'un décès sur quatre au Québec) connaît peut-être un certain plafonnement depuis quelques années; mais elle avait fortement augmenté pendant la décennie précédente, comme le laisse en-

DE QUOI MEURENT LES QUÉBÉCOIS

tendre la réputation de la plus connue de ces maladies, l'infarctus du myocarde. Les décès causés par les tumeurs de la trachée, des bronches et des poumons — les cancers de la pollution et du fumeur — croissent de façon spectaculaire, chez les hommes comme chez les femmes; ces affections représentent presque un cinquième des cas mortels de cancers. Même phénomène, côté accidents, pour ce qui est des décès causés par les véhicules à moteur: à l'origine de 44% des décès de cette grande catégorie, leur nombre a tendance à fortement augmenter, notamment chez les femmes qui pourraient presque rejoindre, d'ici quelques années, les taux masculins.

Voici pour les données, brutes et brutales, sur les raisons pour lesquelles meurent les Québécois. «Comme leurs concitoyens du monde occidental dit développé, écrivent Jean-Marc Bernard et Louise Guyon-Bourbonnais dans *Géographie de la mortalité au Québec,* ils meurent en très grande majorité de causes directement reliées à leur mode de vie ou à un environnement de plus en plus destructeur: accidents de véhicules à moteur (mauvais état des routes, manque de sécurité des voitures, conduite irresponsable, alcool, etc), tumeurs du système digestif (déséquilibre alimentaire, alcool, cigarette, etc) et du système respiratoire (cigarette, pollution de l'air, etc) et maladies ischémiques du cœur (sédentarisme, suralimentation, stress, cigarette, etc)[1].»

Un fait saute donc aux yeux, qui est de première importance dans ce monde où huit personnes sur dix meurent de troubles cardiaques, de cancer ou d'accident. Nous avons affaire à des problèmes de civi-

---

1. QUÉBEC, Ministère des Affaires sociales, *La géographie de la mortalité au Québec, 1969-1972,* décembre 1975.

lisation bien plus qu'à des maladies au sens habituel du mot. Et notre médecine, toujours au sens traditionnel du mot, est impuissante à agir sur les causes de ces problèmes. « Dans l'état actuel des choses, dit la directrice du service des études épidémiologiques

Espérance de vie à 20 ans
hommes et femmes
Québec, 1961 à 1971

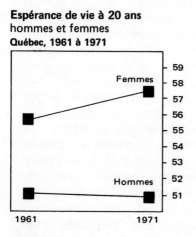

Tableau 1
Espérance de vie
Québec, 1961 ▪ 1971

	1961		1971	
	Hommes	*Femmes*	*Hommes*	*Femmes*
À la naissance	67,3	72,8	68,3	75,2
À 1 an	68,7	73,8	68,7	75,5
À 20 ans	50,8	55,5	50,7	57,2
À 50 ans	23,7	27,3	23,6	28,9

Sources: Données tirées de *Statistiques des Affaires sociales, Démographie* Ministère des Affaires sociales, novembre 1974, et données du MAS.

du ministère des Affaires sociales, Madeleine Blanchet, nous sommes pratiquement incapables de nous attaquer aux causes de décès majeures, sauf peut-être aux accidents d'automobile.» Ces causes majeures, explique encore l'épidémiologiste, sont en effet multidéterminées, donc complexes à saisir et, bien évidemment, à combattre. On ne vaccine pas contre l'habitude de conduire dangereusement. On ne coupe pas la manie de fumer comme on enlève des amygdales. On ne fait pas diminuer un taux de poussière d'amiante dans une mine comme on réduit une fracture.

Conséquence directe de l'impuissance de notre grosse et coûteuse machine anti-maladie face à ces problèmes de civilisation: l'espérance de vie, loin de suivre l'inflation galopante des prix, se pique de jouer, elle, à la croissance zéro. Les courbes plafonnent depuis un peu plus d'une dizaine d'années. C'est l'essoufflement lamentable. Qu'on en juge: l'espérance de vie à la naissance des hommes québécois a tout juste augmenté d'un an entre 1961 et 1971; pendant les trente années précédentes pourtant, elle avait augmenté à un rythme moyen quatre fois plus élevé. Chez les femmes, dont l'espérance de vie est plus forte et augmente plus rapidement que celle des hommes, on se dirige aussi vers un plafonnement: leur espérance de vie à la naissance a augmenté deux fois moins vite, entre 1961 et 1971, qu'elle ne l'avait fait en moyenne au cours des trente années précédentes.

Et encore faut-il relativiser ces données. Les gains actuels en matière d'espérance de vie générale sont dus pour l'essentiel à la spectaculaire diminution de la mortalité infantile — domaine dans lequel nous devrions atteindre le seuil du minimum possible, du taux incompressible ou presque, dans une dizaine d'années environ. Aussi le plafonnement de la courbe est-il bien plus patent si l'on considère l'espérance de vie non pas à la naissance, mais à un an (une fois passés les risques de mortalité infantile), à 20 ans (jeunes adultes) ou à 50 ans (partie la plus vieille de la population). Le tableau 1 donne une bonne idée de cette situation.

On le voit : le Québécois de 20 ans et celui de 50 ans avaient, en 1971, une espérance de vie moins grande que dix ans auparavant. Ce que vient d'ailleurs confirmer le fait qu'entre 1971 et 1973, le taux comparatif de mortalité chez les hommes québécois est passé de 8,0 pour mille à 8,2 pour mille[2].

Le portrait, bien général à vrai dire, doit évidemment être nuancé, détaillé, fouillé. Les données qui précèdent ne montrent pas seulement un plafonnement dans l'espérance de vie des Québécois depuis une dizaine d'années. Elles révèlent également de notoires différences entre les hommes et les femmes, ces dernières ayant à tout âge une espérance de vie plus forte, et de beaucoup, que les hommes. Il est intéressant également de noter que les causes de mortalité varient sensiblement d'un groupe d'âge à l'autre : on ne meurt pas pour les mêmes raisons à 7 et à 77 ans. Les disparités régionales, dont il sera question au chapitre suivant, sont également flagrantes au Québec : on peut dresser une « carte du risque » assez impressionnante, voire une « liste noire » des comtés où il ne fait pas trop bon vivre par les temps qui courent...

Phénomène observable partout au Québec toutefois : la surmortalité masculine. En 1973 par exemple,

---

2. QUÉBEC, Ministère des Affaires sociales, *Statistiques des Affaires sociales,* Données démographiques, mai 1975, p. 9.

les taux bruts de mortalité étaient de 8,3 chez les Québécois et de 5,9 chez les Québécoises. Quand une femme du groupe des 15-64 ans (la population active) meurt d'accident, quatre hommes disparaissent pour la même raison; toujours dans ce même groupe, les hommes meurent trois fois plus des maladies de l'appareil circulatoire que les femmes; et ils les ont dépassées depuis un peu plus de dix ans au chapitre de la mortalité par cancer — quoique les femmes de 25 à 44 ans l'emportent toujours sur les hommes dans ce domaine précis.

Si l'on s'en tient au groupe des 35-64 ans, les disparités entre les taux masculin et féminin sont peut-être encore plus frappantes: les hommes meurent quatre fois plus que les femmes de maladies coronariennes, sept fois plus de cancers de la trachée, des bronches et du poumon, cinq fois plus de bronchite et d'emphysème et trois fois plus de cirrhose du foie. Le Québec fait donc face à un sérieux problème de surmortalité masculine, comme d'ailleurs le Canada ou d'autres pays occidentaux, et ce problème s'aggrave d'année en année. Cette surmortalité, on le constate au seul examen des principales causes de décès, est en très forte partie reliée au style de vie et à ces maladies de civilisation que notre type de société, d'organisation économique et de système de santé est à toutes fins pratiques impuissant à combattre.

L'étude des causes de mortalité par groupe d'âge ne fait d'ailleurs que confirmer cette analyse. Chez les enfants âgés de 1 à 14 ans, plus de la moitié des décès est causée par des accidents; les seuls véhicules à moteur sont responsables du tiers des décès dans ce groupe d'âge et l'on considère que dans 75% des cas, il s'agit d'enfants heurtés par des automobiles. Fait intéressant à relever, la surmortalité

DEMAIN LA SANTÉ

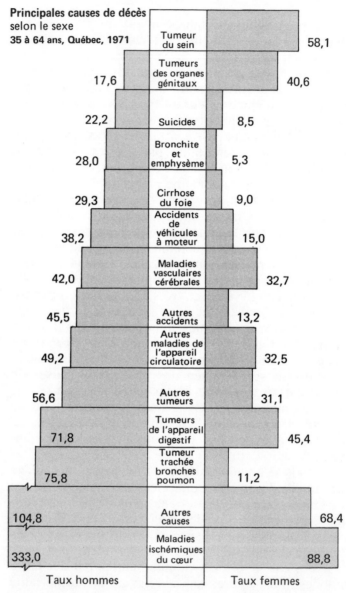

Principales causes de décès
selon le sexe
35 à 64 ans, Québec, 1971

Taux hommes	Cause	Taux femmes
	Tumeur du sein	58,1
17,6	Tumeurs des organes génitaux	40,6
22,2	Suicides	8,5
28,0	Bronchite et emphysème	5,3
29,3	Cirrhose du foie	9,0
38,2	Accidents de véhicules à moteur	15,0
42,0	Maladies vasculaires cérébrales	32,7
45,5	Autres accidents	13,2
49,2	Autres maladies de l'appareil circulatoire	32,5
56,6	Autres tumeurs	31,1
71,8	Tumeurs de l'appareil digestif	45,4
75,8	Tumeur trachée bronches poumon	11,2
104,8	Autres causes	68,4
333,0	Maladies ischémiques du cœur	88,8

Source: Données tirées de *La géographie de la mortalité au Québec 1969-1972,* Ministère des Affaires sociales, décembre 1975

masculine apparaît déjà à cet âge lorsque la cause du décès est extérieure à l'organisme lui-même, comme c'est le cas avec les accidents. Accidents qui prennent, inutile de le dire, des proportions alarmantes dans les causes de décès des 15-34 ans. Presque sept décès sur dix sont causés, chez les jeunes Québécois, par des accidents. Les véhicules à moteur, encore eux, ont provoqué en 1971 près de 43% des décès dans ce groupe d'âge, ce qui représentait la cause de mortalité numéro 1. S'il y a très forte surmortalité masculine par accidents, toujours chez les 15-34 ans, l'écart tend à s'estomper entre les deux sexes depuis quelques années — mais pas à la suite d'une diminution du taux de mortalité par accidents chez les hommes: le phénomène est tout simplement dû à une hausse assez incroyable des taux féminins, les taux masculins n'étant qu'en augmentation « normale ». À noter enfin, pour les 15-34 ans, que la deuxième cause de mortalité est le suicide: pourtant sous-évalué par nature ou presque, tous les cas n'étant pas déclarés, le suicide est à la hausse et accuse déjà les taux de 11,2 pour 100 000 personnes (à titre de comparaison, le taux est de 44,2 dans le cas des décès causés par des véhicules à moteur).

Les accidents perdent de leur prépondérance dans les causes de décès de l'autre moitié de la population active, c'est-à-dire des 35-64 ans. Les maladies de cœur et les cancers les remplacent. Par ordre décroissant d'importance, les causes de mortalité dans ce groupe d'âge sont les suivantes: maladies ischémiques du cœur, cancers de la trachée, des bronches et du poumon, cancers du sein et des organes génitaux féminins. Viennent ensuite, toujours par ordre décroissant, les maladies vasculaires cérébrales, les accidents par véhicules à moteur, le cancer du système digestif, la bronchite et l'emphysème, la cirrhose du foie et le suicide. Les causes de décès chez les 65 ans et plus sont à peu près les mêmes, mais leurs taux sont bien sûr nettement plus élevés. Les différences entre les sexes ont tendance à s'estomper. Les maladies ischémiques du cœur restent en première position parmi les causes de décès, suivies des maladies vasculaires cérébrales, des cancers du système digestif et de l'appareil respiratoire, de la bronchite et de l'emphysème, du diabète, etc — les statistiques ne signalant pas de morts «naturelles»...

Une bonne façon de résumer cette structure de la mortalité selon les groupes d'âge et ce, en donnant un poids relatif plus important aux décès prématurés, consiste à calculer le nombre d'années potentielles de vie perdues avant 70 ans. Pour trouver cet indicateur, on additionne les années qui séparaient de 70 ans toute personne décédant avant cet âge (par exemple, le nombre d'années potentielles de vie perdues d'une personne qui meurt à 28 ans est de 42 ans). Deux chercheurs du ministère de la Santé canadien, Jean-Marie Romeder et John R. McWhinnie, montrent ainsi que les accidents (incluant les suicides) étaient responsables de près de 30% de toutes les journées potentielles de vie perdues par des Québécois en 1972, les cancers de tous genres n'étant pour leur part responsables que de 12% des années potentielles de vie perdues[3]. On se rappelle pourtant que les accidents n'étaient à l'origine que de 10% des cas de mortalité au Québec en 1973 — mais on a vu plus haut combien durement ils frappent dans les couches les plus jeunes de la population.

Bien significative aussi est l'étude de l'évolution

---

3. CANADA, Ministère de la Santé nationale et du Bien-être social, *Indicateurs de la santé pour la politique sanitaire, Canada et provinces,* décembre 1974.

DE QUOI MEURENT LES QUÉBÉCOIS

récente de la mortalité au Québec, étude au terme de laquelle «la possibilité d'une augmentation future de la mortalité peut être envisagée[4]». Telle est du moins la conclusion à laquelle en arrive Louise Guyon-Bourbonnais, du service des études épidémiologiques du ministère des Affaires sociales. Le taux de mortalité chez les 15-64 ans, dit en substance le socio-démographe, s'est stabilisé depuis 1956; on a même pu assister, pour certains sous-groupes ou à certaines périodes, à de légères remontées. Mais c'est la structure même des causes de décès qui s'est radicalement transformée en vingt ans au profit, si l'on peut dire, de ces fameuses maladies de civilisation contre lesquelles nous ne savons trop que faire: le cœur, le cancer et les accidents. À elles seules, ces trois catégories de causes étaient en effet à l'origine, en 1971, de près de 82% des décès de personnes âgées de 15 à 64 ans — alors que cette proportion était de 65% seulement vingt ans plus tôt.

Grands responsables de cet état de choses: l'augmentation des cancers chez les hommes et des accidents chez les femmes. Les taux de mortalité par maladies de l'appareil circulatoire (y compris les affections les plus redoutables de ce groupe, les maladies ischémiques du cœur) sont stables ou à la baisse depuis une dizaine d'années environ. Les taux de mortalité par cancer, par contre, sont pour leur part à la hausse, notamment à cause de l'augmentation «dramatique» des cancers des voies respiratoires, chez les hommes principalement: le taux brut de mortalité due à cette cause a triplé chez les hommes et doublé chez les femmes en 20 ans. La mortalité par accident est elle aussi en progression cons-

---

4. QUÉBEC, Ministère des Affaires sociales, *Les principales causes de décès dans la population active, Québec 1951-1971*, janvier 1974.

tante depuis 1951, notamment en ce qui concerne les accidents de véhicules à moteur et les suicides — tous domaines dans lesquels les taux féminins, nettement inférieurs aux taux masculins, augmentent pourtant à une vitesse remarquable depuis 1961 environ. Le tableau 2 résume particulièrement bien cette situation.

Polarisation des causes de décès autour de trois grandes catégories de problèmes de civilisation, forte surmortalité masculine combattue toutefois par une hausse impressionnante de la mortalité féminine, émergence de plus en plus nette des jeunes comme population à haut risque: telles sont donc les grandes

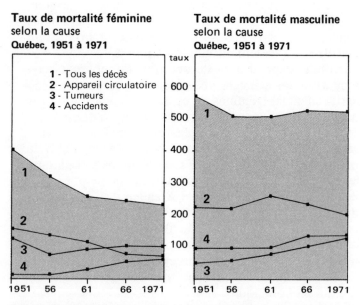

Taux de mortalité féminine
selon la cause
Québec, 1951 à 1971

1 - Tous les décès
2 - Appareil circulatoire
3 - Tumeurs
4 - Accidents

Taux de mortalité masculine
selon la cause
Québec, 1951 à 1971

Source: Données tirées de *Les principales causes de décès dans la population active, Québec 1951-1971*, Ministère des Affaires sociales, janvier 1974.

DE QUOI MEURENT LES QUÉBÉCOIS

caractéristiques de la mortalité des Québécois d'aujourd'hui. Commentaire général: «Il serait peu réaliste de croire que tout problème de santé trouve nécessairement sa solution dans l'amélioration de la qualité et dans l'accessibilité des soins médicaux. Au contraire, les causes de décès qui sont en hausse, accidents de véhicules à moteur, suicides, cancer du poumon, trouvent leur véritable étiologie dans notre contexte social.» Ce n'est pas nous qui le disons, mais un médecin: Madeleine Blanchet.

LA MORBIDITÉ

Savoir que les 40,8 millions de services médicaux rendus aux Québécois leur ont coûté $364 millions en 1974, ou que près de 7 personnes sur 10 ont eu, dans le courant d'une seule année, au moins un contact avec un médecin, ou encore que le nombre de services consommés per capita a augmenté de près de 25% entre 1971 et 1974, jouer donc avec de tels chiffres pourrait facilement donner des Québécois l'image d'un peuple bien malade. Et d'un peuple qui l'est de plus en plus. L'image serait à la fois vraie et fausse. Vraie parce que ce genre d'information constitue tout de même un indice plus ou moins précis des besoins de la clientèle et du genre de pratique médicale dans notre société. Fausse, ou en tout cas déformée, parce que ces chiffres mesurent bien plus les actes facturés à la Régie de l'assurance-maladie du Québec, la RAMQ, que la fréquence ou l'importance réelles d'états pathologiques donnés. Peut-on de plus mettre dans le même panier une de ces fameuses et très nombreuses injections de substance sclérosante (pour faire disparaître les varices) et une ponction lombaire, un accouchement sans complication et une hystérectomie totale?

Force nous est de nous rabattre sur d'autres données pour tenter de mesurer le niveau de morbidité de la population. Et ce, même si elles se limitent à la seule morbidité hospitalière, aux seuls cas de maladies nécessitant hospitalisation. Même si l'on nage

Tableau 2

Variation dans les taux de mortalité
selon les principales causes de décès, 15 à 64 ans
Québec, 1951 à 1971

Diagnostics	Variation		Surmortalité
	Hommes	*Femmes*	
Appareil circulatoire	△	○	**Masculine**
Maladies ischémiques du cœur	●	● ●	Masculine
Maladies hypertensives	○ ○ ○	○ ○ ○	Aucune
Maladies cérébrovasculaires	○	○	Aucune
Tumeurs	●	△	**Masculine**
Tumeurs malignes de l'estomac	○	○	Masculine
Tumeurs malignes de l'intestin	△	△	Aucune
Tumeurs malignes trachée-bronches-poumons	● ● ●	● ●	Masculine
Tumeurs malignes du sein		△	....
Tumeurs malignes du col de l'utérus		○	....
Accidents	●	● ●	**Masculine**
Accidents de véhicules à moteur	●	● ● ●	Masculine
Suicides	●	●	Masculine
Chutes accidentelles	△	△	Masculine
Cirrhose du foie	● ● ●	● ●	**Masculine**
Diabète	● ●	○	**Masculine**
Néphrite et Néphrose	○ ○ ○	○ ○ ○	**Aucune**

● Augmentation des taux de décès
○ Baisse des taux de décès
△ Stabilité des taux de décès

Source: BLANCHET, Madeleine, *Le Médecin du Québec*, juin 1975

DE QUOI MEURENT LES QUÉBÉCOIS

encore en plein dans les flots vigoureux de la «pathologie lourde», la «pathologie légère» ne conduisant pas le patient jusqu'à l'hôpital.

Quelle est donc l'importance de l'hospitalisation au Québec? Et pour quelles raisons les Québécois se font-ils hospitaliser? Quelles tendances peut-on repérer dans l'évolution des causes d'hospitalisation? Autant de questions auxquelles répond un petit recueil statistique[5] publié en décembre 1975 par le ministère des Affaires sociales et qui porte sur les années 1971, 1972 et 1973.

De 1971 à 1973 donc, le taux d'hospitalisation au Québec est passé de 14,86 pour 100 habitants à 15,32, soit une augmentation légèrement supérieure à 3% en deux ans. Première cause d'hospitalisation, et de loin: la maternité, dont le taux pourtant baisse sensiblement durant cette même période. Mais les taux augmentent par contre sur d'autres fronts. Sur ceux, par exemple, des problèmes de civilisation déjà identifiés comme principales causes de décès: les maladies cardio-vasculaires et les tumeurs malignes, les cancers pour les appeler par leur nom, ainsi que les accidents. Une autre pathologie — elle aussi sans doute largement favorisée par la société dans laquelle nous vivons, mais qui n'est pas aussi directement meurtrière que les précédentes — accuse des taux fortement à la hausse: les troubles du comportement (psychoses, névroses et alcoolisme).

Un examen un peu plus attentif de cet ensemble de données nous apprend plusieurs faits intéressants sur l'état de non-santé des Québécois. Le taux d'hospitalisation pour certaines maladies respiratoires comme la pneumonie (ces maladies représentent en-

---

5. QUÉBEC, Ministère des Affaires sociales, *Statistiques des Affaires sociales,* Santé, décembre 1975.

core, après les diagnostics associés à la maternité, la seconde cause d'hospitalisation au Québec) a tendance à diminuer. À tel point que le taux d'hospitalisation pour maladies cardio-vasculaires, en allègre progression comme nous l'avons dit, devrait bientôt le dépasser. Les hospitalisations pour accidents augmentent tranquillement mais sûrement, les candidats masculins étant toujours deux fois plus nombreux que les personnes de l'autre sexe. La situation est inversée dans le cas des psychoses et des névroses — bien que 7 fois plus d'hommes que de femmes soient hospitalisés pour alcoolisme. Les maladies métaboliques et nutritionnelles frappent plus fortement les femmes que les hommes, notamment en ce qui concerne la plus fréquente d'entre elles, le diabète; exception à la règle dans cette catégorie, la cirrhose du foie touche deux fois plus d'hommes que de femmes. Mêmes disparités entre les sexes, d'ailleurs, dans le domaine des hospitalisations pour cancer. Si les femmes sont au total légèrement plus atteintes que les hommes, ces derniers confirment, avec leurs taux d'hospitalisation pour cancers de la trachée et du poumon, ce que les taux de mortalité avaient révélé: ils sont 5 fois plus nombreux que les femmes à être hospitalisés pour cette cause spécifique, comme ils étaient 7 fois plus nombreux qu'elles à en mourir dans le groupe d'âge des 35-64 ans. Quant au taux d'hospitalisation pour maladies transmissibles (typhoïde, tuberculose, coqueluche, rougeole, rubéole, hépatite infectieuse, oreillons), il est stable, y compris dans un cas pas très réjouissant: la tuberculose. Les effets de notre gros régime d'assurance-maladie ne se font pas sentir sur ce mal de la pauvreté, des logements insalubres et des conditions de travail malsaines et harassantes. On se demande pourquoi...

Pour rester dans la pathologie lourde, un coup

d'œil sur les actes chirurgicaux les plus pratiqués au Québec nous en apprendra encore de belles. Les Québécoises, en ce domaine, semblent bien constituer la « clientèle » idéale, puisque plusieurs des actes les plus « populaires » sont spécifiquement féminins. En 1973 par exemple, les médecins québécois ont pratiqué près de 15 000 hystérectomies (à ce rythme, il n'y aura bientôt plus de cancers de l'utérus... faute d'utérus bien entendu!), plus de 21 000 ligatures de trompes et posé 86 000 actes obstétricaux. À titre de comparaison, il s'était effectué cette année-là 34 000 amygdalectomies, 28 000 cholécystectomies (ablations de la vésicule biliaire) dont la plupart sur des femmes d'ailleurs, 20 000 appendicectomies et 8 000 vasectomies (en diminution forte, contrairement aux ligatures de trompes dont le nombre augmente rapidement).

L'ENQUÊTE SANTÉ CANADA

Ajoutées aux données sur la mortalité des Québécois, celles qui portent sur leur morbidité viennent compléter, malgré leur imperfection, le tableau global de leur état de santé. Nous le disions en commençant: ce n'est pas l'abondance épidémiologique ni l'extrême raffinement statistique. Tout juste un peu d'arithmétique élémentaire, pour décompter des choux et des salades. Pour avoir fait complètement le tour du jardin, il suffit en effet d'ajouter quelques éléments seulement aux indicateurs sanitaires traditionnels que nous venons de présenter: études ponctuelles, relevés sur les maladies à déclaration obligatoire, statistiques sur des problèmes de santé bien circonscrits, et c'est à peu près tout.

Car d'indicateurs qui ne collent pas purement et simplement à la mort et à la maladie, point ou presque, malgré leur évidente nécessité. Depuis près d'une dizaine d'années pourtant, scientifiques et administrateurs publics s'accordent pour reconnaître qu'un effort important doit être accompli pour mettre au point des indicateurs de santé plus positifs et plus significatifs que ceux dont nous disposons actuellement. Des organismes internationaux comme l'OCDE (Organisation de coopération et de développement économiques) ou comme l'Office de statistiques des Nations-Unies travaillent actuellement à ces problèmes. Plus près de nous, le Conseil des sciences du Canada note qu'il faudrait «intensifier les recherches actuelles sur les indicateurs de santé, afin d'en découvrir de meilleurs et de commencer à utiliser des indicateurs améliorés[6]», que le Conseil appelle par ailleurs des «clignotants sanitaires».

Au Québec, le Conseil des affaires sociales et de la famille s'est vu pour sa part confier par le ministre des Affaires sociales, à l'automne 1975, le mandat de travailler à la mise au point d'indicateurs sociaux et, par le fait même, d'indicateurs de santé. Et il y a quelques années de cela déjà, la Commission Castonguay avait souligné l'urgence de mettre en place des mécanismes plus sensibles de lecture de la réalité, de façon à pouvoir planifier la santé, fixer des objectifs opérationnels, bâtir des programmes d'action, mesurer la distance parcourue et le chemin encore à parcourir. Dans l'annexe 3 de son rapport[7]

6. CANADA, Conseil des sciences, *Les services de santé et la science,* octobre 1974, p. 73.
7. BLANCHET, Madeleine, m.d., *Indices de l'état de santé de la population du Québec,* 1970, (annexe 3 au rapport de la Commission Castonguay), pp. 79-83.

notamment, la Commission réclamait explicitement la mise en branle d'une «enquête sanitaire permanente» pour pallier le fait que les données disponibles n'avaient «qu'une portée très limitée comme instruments de planification sanitaire».

Cette enquête sanitaire — qui devrait devenir permanente après une phase d'essai de 5 ans —, c'est le ministère canadien de la Santé et du Bien-être social qui va la réaliser. Son lancement effectif est prévu pour le 1er janvier 1978, mais des équipes travaillent déjà à sa préparation depuis de nombreux mois. C'est que l'enquête Santé Canada n'est pas une petite affaire, du moins pour ce qu'on peut en juger actuellement. «Nous serons probablement l'un des pays les plus avancés dans ce domaine, commente le sous-ministre adjoint de la planification santé à long terme, Thomas J. Boudreau, car en plus de mesurer l'état de santé physique de la population, nous chercherons à connaître son état de santé mental et, si l'on peut dire, social. De plus, et ce sera la grande originalité de notre enquête, nous chercherons à cerner les facteurs de risques auxquels sont exposés les individus et les groupes. Un troisième volet de l'enquête Santé Canada nous permettra d'évaluer l'utilisation des ressources du système.»

Toutes ces informations seront recueillies au moyen d'entrevues administrées à un échantillon représentatif d'environ 40 000 personnes, et d'examens physiques effectués sur un sous-échantillon d'une vingtaine de milliers de sujets. Le projet, qui coûte actuellement, dans sa phase de préparation, environ $2 millions par année, devrait coûter $2 à 3 millions par année durant la phase opérationnelle. Il devrait permettre d'aller chercher un lot d'informations assez précieux, plus sophistiqué en tout cas que les indicateurs sanitaires sans finesse ni raffinement dont nous disposons actuellement. Bref, ce sera un peu comme si nous passions d'un coup de la loupe au microscope électronique.

Côté facteurs de risques par exemple, on scrutera les habitudes de vie (consommation d'alcool et de tabac, genre d'utilisation de l'automobile, etc), les facteurs bio-médicaux (état immunitaire, taux de cholestérol, de glucose et d'acide urique, antécédents familiaux) et l'environnement dans lequel vivent les différents groupes de la population (mesure des taux d'oligo-éléments dans le sang, dangers professionnels auxquels sont exposés les travailleurs, stresseurs professionnels). L'étude de l'état de santé de la population se fera à la fois à l'aide de questionnaires (comment les individus se trouvent, comment ils ressentent leurs capacités de fonctionner normalement ou pas, etc) et de tests instrumentaux (forme physique, tension artérielle, etc); quant à la santé mentale, l'enquête l'abordera et sous son aspect individuel (anxiété, dépression, etc), et sous son aspect social (fonctionnement familial, satisfaction tirée de l'emploi, problèmes liés à l'alcool autres que les problèmes de santé physique). Les conséquences des problèmes de santé seront pour leur part analysés à la lumière de l'utilisation des services de santé (institutions de distribution de soins, médicaments, etc) et des coûts de ces services (directs et indirects). Tous ces aspects de la santé des Canadiens seront étudiés comme tels et en corrélation les uns avec les autres, et seront de plus mis en correspondance avec les données socio-économiques de base de la population.

C'est donc de véritables monuments de l'épidémiologie qui devraient théoriquement sortir chaque année de l'enquête Santé Canada à partir de 1978, et il est à souhaiter que ces précieux outils de planification sanitaire puissent être effectivement utilisés pour la mise en œuvre de programmes d'action bien précis. Au ministère fédéral en tout cas, on mise très fort sur cette opération pour faire entrer dans la réalité les grands principes du rapport Lalonde sur la santé. Dans les ministères provinciaux, et particulièrement au Québec, on participe activement aux travaux préparatoires déjà en cours. L'enquête permettra en effet au moins une chose: de se comparer aux autres. Mais on est bien conscient qu'elle ne collera pas nécessairement aux programmes d'action des provinces. Ni même à toute la réalité de chacune des régions socio-sanitaires composant les provinces, à cause par exemple de la taille de l'échantillon — assez grand pour couvrir le Canada et ses « régions », mais pas assez pour décrire le Québec et ses régions socio-sanitaires. Quoi qu'il en soit, les discussions se poursuivent avec le ministère central, pour donner le plus possible d'informations et de détails aux ministères provinciaux. Et il faudra sans doute juger sur pièce avant de voir si la photo de famille est suffisamment précise pour satisfaire tous ceux, dans la parenté, qui voudraient obtenir des agrandissements de certains détails...

LES QUÉBÉCOIS ET LES AUTRES

En attendant, et même en nous en tenant à nos indicateurs sanitaires traditionnels, il peut être bon de nous situer en nous comparant rapidement à d'autres groupes, à d'autres populations.

Premier point, si toutefois cela peut nous consoler: nous ne sommes pas les seuls à faire du sur-place sur

DEMAIN LA SANTÉ

Taux d'années potentielles perdues
Canada et provinces, 1972

* Ces taux sont sujets à caution en raison de la faible population.

Tableau 3

Taux d'années potentielles perdues
selon les 5 causes principales
Québec, Ontario, Canada, 1972

	Accidents de la route	Maladies ischémiques	Autres accidents	Maladies respiratoires	Suicides	Toutes causes
Québec	33,4	24,2	18,9	10,4	7,6	213,8
Ontario	22,6	19,0	17,7	8,3	6,0	182,1
Canada	27,0	22,1	21,6	11,3	8,7	199,4

Note: Taux pour 100 000 années potentielles de vie avant 70 ans standardisé selon l'âge, en fonction de la structure de la population canadienne de 1971.

Source: Données tirées de *Indicateurs du domaine de la santé pour la politique sanitaire, Canada et provinces*, J.-M. Romeder et John R. McWhinnie, ministère de la Santé nationale et du Bien-être social, décembre 1974.

DE QUOI MEURENT LES QUÉBÉCOIS

la courbe de l'espérance de vie. Le phénomène s'observe dans à peu près tous les pays occidentaux, certains accusant même des diminutions à ce chapitre. Nous ne sommes pas non plus les seuls à mourir en nombre toujours plus important de ces fameuses maladies de civilisation: les cancers, les accidents et les troubles cardiaques collent aux semelles de nos sociétés comme l'impératif du profit colle à celles du capitalisme.

Mais toutes choses étant égales par ailleurs, notre état de santé collectif souffre souvent bien difficilement la comparaison avec celui de nos voisins ontariens, canadiens ou américains.

Qu'on soit Québécois ou Québécoise, notre espérance de vie à la naissance est par exemple la plus faible de tout le Canada, Terre-Neuve compris. Naître en Saskatchewan — là où l'espérance de vie est la plus forte —, c'est avoir presque trois ans de plus à vivre que si l'on naissait au Québec. Dans un article publié en juin 1975 dans *Le Médecin du Québec,* Madeleine Blanchet soulignait également «qu'au-delà de la période périnatale (jusqu'à une semaine après la naissance), tous nos taux de décès selon l'âge sont plus élevés que ceux de l'Ontario». Citant les études de Romeder et McWhinnie sur les années potentielles de vie perdues avant l'âge de 70 ans, elle notait de plus que le Québec perd plus d'années que l'Ontario ou le Canada pour cinq causes principales de décès, comme l'indique avec éloquence le tableau 3.

Toujours dans ce même article, Madeleine Blanchet analysait plusieurs facteurs prédisposant aux maladies et montrait combien les Québécois y étaient relativement plus exposés que les Canadiens ou que les Ontariens. En 1973 par exemple, le Québec comptait le plus grand pourcentage de fumeurs de tout le Canada: avec un taux de 54,8% d'usagers du tabac (taux canadien: 46,9%), il surpassait l'Ontario de plus de 11 points (43,7% des Ontariens fumaient cette même année). « En outre, soulignait l'épidémiologiste, la hausse la plus marquée dans la consommation de cigarettes est notée chez les jeunes filles du Québec aux âges de 20 à 24 ans. » Côté maladies coronariennes, les facteurs prédisposants sont, entre autres, l'obésité et l'hypercholestérolémie. Au chapitre de l'obésité, et même si les Canadiens dans leur ensemble ne sont pas plus brillants qu'il ne le faut, ce sont surtout les hommes québécois âgés de 40 à 64 ans qui font piètre figure — ceux-là mêmes qui meurent le plus de maladies de cœur et dont la surmortalité comparativement aux autres Canadiens est la plus marquée. Un demi-bon point au tableau par contre: les Québécoises de 65 ans et plus accusent des taux d'obésité nettement inférieurs à ceux des Canadiennes du même groupe d'âge. Autre demi-bon point pour le Québec enfin: ses taux d'hypercholestérolémie, nettement inférieurs à ceux du Canada, excepté chez les femmes de 20 à 39 ans et surtout de 65 ans et plus.

Voilà pour les premières comparaisons globales avec nos voisins. Il y aurait bien sûr encore beaucoup à dire à ce chapitre. Nous verrons, au fil des pages suivantes, des exemples parfois patents de retard du Québec en matière de santé. Qu'on songe seulement à ces cas de tuberculose que nous traînons encore, à nos habitudes en matière de nutrition ou à notre état de santé bucco-dentaire — quelques exemples parmi d'autres de ce que certains appellent « notre héritage de pauvreté ».

Cet héritage qui nous suit et qui, aujourd'hui encore, affecte l'état de santé des Québécois.

2.
GRANDIR À MONTRÉAL, VIEILLIR EN GASPÉSIE

« Si le Québécois choisissait sa région de résidence en fonction du risque de décès, le meilleur choix serait le suivant: naître à Montréal ou dans sa banlieue et y vivre jusqu'à 35 ans de façon à éviter les décès infantiles et les décès accidentels. Ultérieurement, les risques inhérents à la vie dans la métropole deviennent plus élevés que ceux des régions périphériques ou des régions éloignées des grands centres. Le Québécois de plus de 35 ans aurait donc avantage à s'établir dans des régions telles que le Bas-Saint-Laurent-Gaspésie, le Nord-Ouest et la Côte-Nord. » C'est en ces termes imagés que Jean-Marc Bernard et Louise Guyon-Bourbonnais concluent leur *Géographie de la mortalité au Québec* [1], étude qui met en évidence l'une des caractéristiques les plus frappantes de l'état de santé de la population québécoise: l'existence d'importantes disparités entre les régions du pays.

Car il suffit de jeter un coup d'œil sur un indicateur aussi global que le taux de mortalité pour s'en rendre compte. En 1974, le taux comparatif de mortalité pour l'ensemble du Québec était de 7,1 pour 1 000 habitants. Mais il grimpait à 8,3 au Saguenay-Lac-

---

1. QUÉBEC, Ministère des Affaires sociales, *La géographie de la mortalité au Québec, 1969-1972*, décembre 1975.

Saint-Jean ou dans le Nord-Ouest, alors qu'il était aussi bas que 6,6 dans les Cantons-de-l'Est. Et il convient de souligner qu'un taux comparatif de mortalité, contrairement à un taux brut, corrige les distorsions causées par les différences de pyramides des âges entre les régions que l'on compare.

La mortalité infantile (avant un an) est pour sa part considérée comme l'un des bons indicateurs de la santé d'une population ou d'un groupe. Et ce domaine aussi, les disparités régionales sont plus que frappantes. Même si nous ne disposons que de taux bruts, les chiffres sont évocateurs. En 1973, alors que le taux de mortalité infantile au Québec était de 16,06 pour 1 000 naissances vivantes, il était de 23,52 dans le Nord-Ouest et de 23,09 au Saguenay-Lac-Saint-Jean. Dans la région montréalaise par contre, il n'était que de 13,85 et descendait même à 12,53 dans la région Sud de Montréal. À l'autre extrême, le taux de mortalité infantile atteignait, au Nouveau-

Tableau 4

L'espérance de vie des Québécois
selon certaines régions et le sexe, 1971

	À la naissance		À 50 ans	
	Hommes	Femmes	Hommes	Femmes
Bas Saint-Laurent-Gaspésie	68,5	75,1	25,4	30,0
Saguenay-Lac St-Jean	67,8	73,3	23,8	27,4
Montréal métropolitain	68,8	76,0	23,4	29,3
Nord-Ouest	67,2	74,0	23,8	28,7
Côte-Nord	68,7	78,6	25,4	32,7
Nouveau-Québec	63,2	63,1	23,8	21,7
QUÉBEC	68,2	75,2	23,6	28,8

Source: Données tirées de *La géographie de la mortalité au Québec 1969-1972,* Ministère des Affaires sociales, décembre 1975.

GRANDIR À MONTRÉAL,
VIEILLIR EN GASPÉSIE

Québec, l'incroyable niveau de 44,18 (celui du Canada en 1951): ce qui veut dire que pour 100 naissances vivantes dans cette région, on enregistre 4 à 5 décès infantiles. De telles disparités entre les régions se reflètent bien évidemment sur l'espérance de vie, comme le montre le tableau 4 dans lequel apparaissent seulement quelques chiffres parmi les plus caractéristiques.

LA CARTE DU RISQUE AU QUÉBEC

Le tableau 4 ne met pas seulement en évidence des disparités entre les régions du Québec. Il montre aussi qu'une même région peut être à la fois favorisée et défavorisée par rapport aux autres régions, selon que l'on considère la mortalité (ou l'espérance de vie) des jeunes ou des vieux. C'est le cas par exemple du Montréal métropolitain. En tête de liste pour l'espérance de vie masculine à la naissance, cette région socio-sanitaire dégringole en dernière position pour l'espérance de vie masculine à 50 ans — dépassant dans les deux cas, en mieux ou en plus mal, ces deux extrêmes que sont respectivement l'excellente Côte-Nord et le triste Nouveau-Québec. Inversement, la région du Bas-Saint-Laurent-Gaspésie, pas très bien placée quant à l'espérance de vie à la naissance, se hisse en excellente position pour l'espérance de vie à 50 ans. Avec le cas particulier du Nouveau-Québec, la région du Saguenay-Lac-Saint-Jean reste peu recommandable à tous les âges.

Comment expliquer ces différences? L'analyse de la mortalité selon les causes de décès, les groupes d'âge et les régions socio-sanitaires nous permettra de répondre en bonne partie à cette question. Cette analyse constitue, précisons-le, l'essentiel de la *Géographie de la mortalité au Québec* dont nous avons déjà parlé.

Première cause de décès, et de beaucoup, chez les jeunes de 1 à 14 ans : les accidents, et particulièrement les accidents de véhicules à moteur. Les disparités régionales sont déjà remarquables. C'est à la région du Bas-Saint-Laurent-Gaspésie que revient la triste palme, avec des taux supérieurs à ceux du Québec de 72% chez les garçons et de 110% chez les filles. La région du Saguenay-Lac-Saint-Jean et celle de la Côte-Nord naviguent à peu près dans les mêmes eaux. En bonne position par contre : l'Outaouais et le Montréal métropolitain. Cas particulier : la région de Trois-Rivières où les garçons accusent des taux plutôt élevés et les filles des taux plutôt bas. Cette nette surmortalité masculine ne peut s'expliquer par le seul fait du hasard, d'autant plus que ces taux — comme tous ceux d'ailleurs de *Géographie de la mortalité* — ont été calculés à partir des moyennes de quatre années (de 1969 à 1972 inclusivement).

Dans le groupe d'âge des 15-34 ans, les accidents de véhicules à moteur restent la principale cause de décès et les disparités régionales sont les mêmes que dans le groupe d'âge précédent. Chez les hommes comme chez les femmes (qui meurent quatre fois moins d'accidents que les hommes), la région à risque élevé est toujours le Bas-Saint-Laurent-Gaspésie ; celle du Montréal métropolitain est, à l'opposé, la plus favorisée, avec des taux deux à trois fois moins importants. Par ailleurs, et même s'il faut toujours être extrêmement prudent avec ce genre de statistiques, on observe d'importantes disparités régionales dans les taux de suicide, la seconde cause de décès chez les 15-34 ans : le Nord-Ouest chez les hommes,

GRANDIR À MONTRÉAL,
VIEILLIR EN GASPÉSIE

et dans une moindre mesure le Montréal métropolitain chez les hommes et chez les femmes, présentent des taux nettement supérieurs à la moyenne québécoise.

Jusqu'à 34 ans donc, la carte de la mortalité est plutôt sombre dans les régions périphériques. Qu'on parle en effet d'accidents de véhicules à moteur ou de mortalité infantile, que l'on évoque des taux masculins ou des taux féminins, qu'on observe une tranche d'âge ou une autre dans la population des enfants et des jeunes adultes, trois régions reviennent pratiquement toujours dans le peloton de tête si l'on fait abstraction du Nouveau-Québec: le Bas-Saint-Laurent-Gaspésie, le Saguenay-Lac-Saint-Jean et le Nord-Ouest. Montréal et sa banlieue, par contre, présentent à peu près toujours les situations les plus favorables.

Mais le vent tourne avec le cap des 35 ans. Les causes de décès principales changent et avec elles les positions respectives de chacune des régions sociosanitaires du Québec. Les gens se mettent à mourir surtout du cœur et du cancer, et c'est Montréal qui fait point noir sur la carte. Les régions auparavant dangereuses deviennent cette fois des régions privilégiées. Bref, c'est la mortalité à l'envers sauf dans un cas, le Saguenay-Lac-Saint-Jean. Présentant chez les moins de 35 ans les inconvénients des régions périphériques (mortalité infantile et accidents), cette région fait aussi courir aux plus de 35 ans les risques inhérents à l'urbanisation et surtout à l'industrialisation telle que nous la connaissons: chez les 35-64 ans, les cancers de la trachée, des bronches et des poumons tuent proportionnellement plus d'hommes au Saguenay-Lac-Saint-Jean que dans le Montréal métropolitain. Autre région critique dans ce groupe d'âge: la région de Québec, avec son taux de mor-

DEMAIN LA SANTÉ

Principaux indicateurs de mortalité
selon les régions socio-sanitaires, le sexe et l'âge
Taux supérieurs à la moyenne du Québec, 1969 à 1972

Graphique 1

REGIONS

	1	2	3	4	5	6a	6b	6c	7	8	9
1 à 14 ans											
TAUX DE MORTALITÉ GÉNÉRALE	▲	▲○		▲○							
Accidents de véhicules à moteur	▲○			○							○
15 à 34 ans											
TAUX DE MORTALITÉ GÉNÉRALE	○	○							○		
Accidents de véhicules à moteur	▲○	○	▲○	○							
Suicides						▲○			○		
35 à 64 ans											
TAUX DE MORTALITÉ GÉNÉRALE			○			▲					
Maladies ischémiques du cœur						▲○					
Tumeur trachée, bronches; poumon						▲○					
Tumeur du sein											
Tumeur organes génitaux féminins											
Maladies vasculaires cérébrales		▲○							○		
Accidents de véhicules à moteur	○	○								▲○	
Tumeur intestin et rectum											
Tumeur de l'estomac	○				○				○		
Bronchite et emphysème		▲○	○								
Cirrhose du foie						▲○					
Suicides											
65 ans et +											
TAUX DE MORTALITÉ GÉNÉRALE					▲		▲				
Maladies ischémiques du cœur						▲○	▲○				
Maladies vasculaires cérébrales		▲○			▲				▲○		
Tumeur intestin et rectum					▲						
Tumeur trachée, bronches, poumon						○					
Bronchite et emphysème		▲○		○					▲		
Diabète									▲		▲
Tumeur de l'estomac		▲									
Tumeur du sein											
Tumeur organes génitaux féminins					▲						
Cirrhose du foie						○▲					

Régions:

1: Bas St-Laurent/Gaspésie
2: Saguenay/Lac St-Jean
3: Québec
4: Trois-Rivières
5: Cantons de l'Est

6A: Montréal Métropolitain
6B: Laurentides/Lanaudière
6C: Sud de Montréal
7: Outaouais
8: Nord-Ouest
9: Côte-Nord

○ masculin
▲ féminin

Source: Ministère des Affaires sociales, Service des études épidémiologiques

talité plutôt élevé et des indices plutôt mauvais côté cancers des voies respiratoires, accidents de véhicules à moteur et bronchites et emphysèmes chez les hommes.

Chez les personnes âgées de 65 ans et plus, Montréal demeure la région à risque élevé, notamment pour les maladies ischémiques du cœur, la cause de décès de loin la plus importante dans ce groupe d'âge. À ce chapitre toutefois, deux autres régions situées dans la partie sud du Québec (Sud de Montréal et Cantons-de-l'Est) rivalisent presque avec la région de Montréal, tandis que les maladies vasculaires cérébrales frappent davantage au Saguenay-Lac-Saint-Jean et dans le Nord-Ouest.

Finalement, les auteurs de *Géographie de la mortalité au Québec* en arrivent à dresser un saisissant portrait des disparités régionales face à la mortalité, une sorte de carte du risque vital au Québec que visualise remarquablement le graphique 1. Sur ce graphique apparaissent les résultats du calcul de l'erreur-type appliqué aux taux spécifiques de décès par cause. Chaque point noir équivaut à un indice supérieur à 1,64 erreur-type, autrement dit à un taux qui permet de classer la région en question comme une région à risque élevé comparativement à l'ensemble du Québec. Une région qui cumule un grand nombre de points noirs est une région où les risques de décès sont plus élevés qu'ailleurs, et inversement.

La lecture de cette «carte du risque» au Québec nous révèle l'existence de trois catégories de régions socio-sanitaires, si l'on fait exception de ce cas à part qu'est le Nouveau-Québec et sur lequel nous reviendrons plus loin.

Première catégorie: *les régions à risque élevé.* Il y en a quatre, à savoir le Saguenay-Lac-Saint-Jean, le Bas-Saint-Laurent-Gaspésie et le Nord-Ouest d'une part, et la région du Montréal métropolitain d'une autre part. Dans les régions périphériques, mortalité infantile et accidents de véhicules à moteur sont les principales causes de la surmortalité; à Montréal, la surmortalité est surtout évidente chez les personnes adultes ou âgées et les risques sont surtout du côté des maladies environnementales comme les cancers, les maladies du cœur et la cirrhose du foie. Comme nous l'avons déjà souligné, la région du Saguenay-Lac-Saint-Jean est «dangereuse» dans toutes les classes d'âge, réunissant à la fois les caractéristiques des régions périphériques et celles des régions urbanisées [2].

Seconde catégorie: *les régions à risque moyen.* Il s'agit des Cantons-de-l'Est, du Sud de Montréal, de Trois-Rivières, de Québec et de l'Outaouais. Dans les deux premières d'entre elles, ce sont surtout les personnes âgées, les femmes en particulier, qui sont les populations à risque; dans la région de Trois-Rivières, ce sont surtout les enfants et les jeunes adultes, et dans celle de Québec — la région moyenne par excellence — la population active masculine. Dans l'Outaouais, c'est à un problème de mortalité infantile qu'on fait face.

Troisième et dernière catégorie: *les régions à moindre risque.* La Côte-Nord se caractérise surtout par une espérance de vie très élevée et la région Laurentides-Lanaudière par des indices de mortalité plutôt faibles.

Le Nouveau-Québec, nous l'avons dit, constitue *une région à part,* ne serait-ce que parce que le très

2. Certains facteurs héréditaires entreraient également en compte dans cette région longtemps isolée du reste du Québec et dont le niveau de consanguinité est particulièrement élevé; on sait par exemple que les maladies héréditaires ou génétiques sont plus fréquentes au Saguenay-Lac-Saint-Jean qu'ailleurs au Québec.

petit nombre de décès annuel rend les calculs d'indices ou de taux sujets à caution du strict point de vue statistique. Ceci dit, les indications suivantes parlent suffisamment d'elles-mêmes pour montrer à quel point le dossier santé y est noir. C'est au Nouveau-Québec que l'espérance de vie à la naissance, pour les hommes comme pour les femmes, est la plus basse de tout le Québec. C'est également au Nouveau-Québec que l'espérance de vie à 50 ans, chez les femmes, est la plus basse (voir tableau 4). C'est toujours au Nouveau-Québec que le taux comparatif de mortalité générale est le plus élevé (11,9 contre 6,8 pour l'ensemble du Québec). C'est enfin au Nouveau-Québec que le taux de mortalité infantile est le plus élevé (50 pour 1 000 naissances vivantes, contre 19 au Québec), à cause notamment de cette partie de la mortalité infantile qui est la plus influencée par les conditions du milieu, la mortalité post-néonatale (entre un mois et un an). Le taux y est de 29,4 pour 1 000, alors qu'il n'est que de 5,4 pour 1 000 dans l'ensemble du Québec. Le fait que la population du Nouveau-Québec soit essentiellement composée d'Inuit et d'Amérindiens vivant dans des conditions socio-économiques précaires n'est évidemment pas étranger à cette situation.

LES COMTÉS NOIRS

Cette sombre cartographie, un géographe de l'Université du Québec à Montréal, Luc Loslier, la précise et la raffine encore. Au terme d'une étude[3] réalisée

---

3. LOSLIER, Luc, *La mortalité selon certaines causes-âge dans des divisions de recensement au Québec*, août 1975.

en 1975, il pointe du doigt les huit comtés où la situation en matière de mortalité — et ce, pour toutes les classes d'âge — est extrêmement inquiétante. Il s'agit des comtés de Dorchester, Pontiac, Soulanges, Témiscouata, Yamaska, Brome, Huntingdon et Nicolet, les trois derniers représentant le peloton de queue de loin le plus défavorisé. Dans le groupe des 1-14 ans de ces trois comtés par exemple, le taux de mortalité générale est presque trois fois plus élevé que dans le même groupe d'âge du bloc des comtés les plus favorisés au Québec; dans le groupe d'âge des 15-34 ans, le rapport est d'environ 2 pour 1 entre le bloc des défavorisés et celui des favorisés. Notons que le groupe des favorisés comprend les 14 comtés ou divisions de recensement suivants: Chambly, Champlain, Chateauguay, Deux-Montagnes, Montréal, Iles-de-la-

Tableau 5

Corrélation entre certaines données
socio-économiques et certains taux de mortalité
(pour 10 000 habitants)
pour 2 groupes de comtés, Québec, 1970-1972

	GROUPE A	GROUPE B
Pourcentage de population rurale	16,0 %	58,92 %
Revenu annuel per capita	$3 194,29	$1 825,38
Mortalité générale 1-14 ans	5,17	9,73
Mortalité générale 15-34 ans	10,93	19,77

Source: *La mortalité selon certaines causes-âge dans les divisions de recensement au Québec,* Luc Loslier, août 1975, rapport de recherche présenté au ministère des Affaires sociales, service des études épidémiologiques

GRANDIR À MONTRÉAL,
VIEILLIR EN GASPÉSIE

Madeleine, Laprairie, L'Assomption, Ile d'Orléans, Rimouski, Saint-Jean, Sherbrooke, Vaudreuil et Verchères.

Ces comparaisons portent sur les blocs situés aux deux extrêmes de l'éventail québécois, ce qui explique la netteté des contrastes observés. L'étude de Luc Loslier distinguait de fait huit groupes de comtés (ou plus exactement de divisions de recensement) homogènes quant à leur structure de mortalité. Dans les groupes intermédiaires, les profils de mortalité n'étaient pas aussi clairement définis que dans les groupes que nous venons de citer. Mais il ressortait dans l'ensemble que les comtés plus urbains avaient des profils de mortalité plutôt bons, alors que les comtés plus ruraux avaient des taux plutôt mauvais.

Fait à noter, que relève d'ailleurs Luc Loslier dans une autre partie de cette étude: on peut associer à un type de mortalité un type socio-économique assez bien défini. En réunissant par exemple 27 unités de recensement en deux blocs opposés au moyen de l'analyse factorielle (on partait d'une matrice haute de 74 unités de recensement et large de 31 causes-âge de décès préalablement sélectionnées, et il s'agissait de «lire» cette matrice), on arrive au tableau 5, saisissant de clarté et de simplicité.

LES DISPARITÉS
DANS LA CONSOMMATION
ET LA DISTRIBUTION DES SOINS

Si les disparités entre les régions ou les groupes de comtés sont patentes au niveau de la mortalité, elles sont peut-être plus spectaculaires encore en matière de consommation et de distribution de soins de santé. On hospitalise par exemple deux à trois fois plus pour tuberculose au Saguenay-Lac-Saint-Jean que dans l'ensemble du Québec. Le taux d'hospitalisation pour cancers de la trachée, des bronches et du poumon est environ deux fois plus élevé dans le Montréal métropolitain que dans le Bas-Saint-Laurent-Gaspésie. L'infarctus aigu du myocarde cause deux fois plus d'hospitalisations (en terme de taux toujours) dans les Cantons-de-l'Est que sur la Côte-Nord. Toutes ces données, il convient de le souligner, sont relativement cohérentes avec le genre de problèmes de santé que les taux de mortalité par région et par cause nous avaient révélés.

Là où par contre les disparités régionales frisent l'incohérence, pour ne pas dire le saugrenu ou le scandaleux, c'est au niveau des actes chirurgicaux: on extrait presque 30 fois plus de dents (nous parlons toujours de taux, bien entendu) dans le Bas-Saint-Laurent-Gaspésie que dans la région de Montréal. On pratique 4,5 fois plus de circoncisions dans l'Outaouais que dans la région de Québec. Le taux d'amygdalectomie est deux fois plus élevé dans la région de Trois-Rivières que dans l'Outaouais. Et ces quelques exemples, il faut le préciser, semblent relever de « modes » régionales bien établies puisque les chiffres dont nous disposons s'étendent sur trois années et que les données se ressemblent *grosso modo* d'une année à l'autre. Autre disparité régionale à relever, car elle est véritablement énorme: les avortements thérapeutiques; selon les statistiques du ministère des Affaires sociales, il s'en est pratiqué 2 254 au Québec en 1973, dont... 2 213 à Montréal, 36 dans les Cantons-de-l'Est et 5 dans le reste du Québec! Preuve flagrante, si besoin en est, que la distribution des services de santé ne correspond pas toujours très exactement aux besoins de la population.

GRANDIR À MONTRÉAL,
VIEILLIR EN GASPÉSIE

Pas plus d'ailleurs que la répartition par région des professionnels de la santé. De ce côté en effet, on vogue quelque part entre l'anarchie et la gabegie. Alors que les régions de Montréal et des Cantons-de-l'Est comptaient respectivement, en 1974, 159 et 167 médecins pour 100 000 habitants, le Nord-Ouest en comptait 53, la Côte-Nord 62 et le Bas-Saint-Laurent-Gaspésie 79. Le Nouveau-Québec, bien sûr, tirait la patte avec un taux de 35 médecins pour 100 000 habitants — ce qui est inférieur au taux de la Bolivie de 1970...

Dans une étude[4] réalisée pour le compte de la Corporation professionnelle des médecins du Québec, un professeur du département d'administration de la santé de l'Université de Montréal, Jean-Yves Rivard, nuance toutefois ces données en calculant le rapport population/omnipraticien équivalent plein temps. Les médecins des régions périphériques travaillant relativement plus que ceux des grands centres urbains, les disparités effectives sont moins fortes qu'on ne le croirait à première vue, montre Jean-Yves Rivard, et elles devraient s'amenuiser durant les prochaines années. Elles restent et resteront néanmoins très fortes du côté des médecins spécialistes, note par contre le chercheur, particulièrement dans les spécialités dites courantes : « La région socio-sanitaire du Nord-Ouest, écrit-il, ne comptait en 1974 ni dermatologues, ni physiatres, ni ophtalmologues, ni oto-rhino-laryngologues, ni pédiatres. » On pourrait également citer le cas des dentistes, dont le taux pour 100 000 habitants était en 1974 de 48,60 dans le Mont-

---

4. RIVARD, Jean-Yves, « Les effectifs médicaux au Québec : situation actuelle et projection 1974-1978 », *Bulletin de la Corporation professionnelle des médecins du Québec*, novembre 1975.

réal métropolitain et de 10,20 dans le Bas-Saint-Laurent-Gaspésie, cette dernière région ne comptant aucun dentiste spécialiste — pas plus d'ailleurs que le Nord-Ouest, la Côte-Nord et le Nouveau-Québec.

Une analyse des services médicaux disponibles non plus selon les grandes régions socio-sanitaires habituelles, mais selon des regroupements de comtés homogènes, permet de mieux cerner ces disparités. Au terme d'une démarche analogue à celle de Luc Loslier pour la mortalité, un chercheur du département d'administration de la santé de l'UdM, André-Pierre Contandriopoulos, regroupe les comtés ou divisions de recensement en 8 groupes homogènes. En utilisant des variables socio-économiques (par exemple des taux de fréquentation scolaire ou le revenu personnel disponible par habitant) et surtout des variables d'ordre médical (moyennes d'heures de travail des médecins selon leur spécialité, nombre de médecins par 100 000 habitants, indice de proximité des hôpitaux, nombre de lits pour 1 000 habitants, etc), André-Pierre Contandriopoulos établit des corrélations entre le niveau socio-économique de chacun des 8 groupes de comtés et le niveau des services médicaux disponibles. Conclusion du chercheur: «les régions rurales font vraiment piètre figure en recueillant les deux indices les plus faibles: en plus d'être très pauvres, elles manquent fortement de services de santé. Les régions de ce groupe n'ont que relativement peu de médecins généralistes et pratiquement aucun spécialiste. Par contre, les régions métropolitaines se trouvent en très bonne position: le niveau socio-économique y est élevé et on y trouve la plus grande concentration de services de santé (hôpitaux et spécialistes)[5].»

5. CONTANDRIOPOULOS, A.O., LANCE, J.M., et MEUNIER,

GRANDIR À MONTRÉAL, VIEILLIR EN GASPÉSIE

L'histoire, bien sûr, ne dit pas pour l'instant si les services médicaux sont abondants là où le niveau socio-économique de la population est élevé, ou si le niveau socio-économique est élevé là où abondent les services médicaux... Elle se contente de nous montrer ici combien fortes et importantes sont les disparités sanitaires entre les régions du Québec et à l'intérieur même de ces régions[6]. Quant à savoir qui le premier a fait l'autre, de la poule ou de l'œuf d'or, on en reparlera plus loin.

C., «Un regroupement des comtés de la province de Québec en régions homogènes», *L'Actualité économique,* octobre-décembre 1974.
6. De telles disparités ne s'observent pas seulement en matière de répartition des médecins. Comme on le verra au chapitre 6, les effectifs des autres professions de la santé sont souvent concentrés dans les zones urbaines et parfois absents des régions rurales ou périphériques.

3.
LES INÉGALITÉS
DEVANT LA SANTÉ

Si les indicateurs sanitaires traditionnels peuvent dresser à grands traits le portrait général de l'état de santé d'une population, s'ils peuvent parfois mettre en évidence certaines disparités régionales flagrantes, ils masquent par contre bien souvent les inégalités les plus criantes devant la santé, la maladie et la mort. Car il faut bien dire les choses comme elles sont. C'est le soudeur qui contracte la sidérose, pas les propriétaires des chantiers navals. Ce sont les travailleurs de la construction qui meurent dans le béton, pas les officiels qui inaugurent les Jeux olympiques. C'est dans les taudis que couvent les foyers d'infection, pas dans les belles résidences de Westmount.

De la même façon, ce sont les classes les moins favorisées qui accusent les niveaux de condition physique les plus déplorables, qui vivent dans l'environnement le plus dégradé, qui connaissent les problèmes nutritionnels les plus aigus. Il est vrai que certaines maladies semblent frapper indistinctement riches et pauvres, travailleurs manuels et patrons à cravate. Mais il est encore plus vrai, nous le verrons bientôt, que les moins fortunés sont aussi les plus fortement exposés aux maladies de tous genres, à la surmortalité, infantile notamment, et même aux accidents.

LES INÉGALITÉS DEVANT LA SANTÉ

Et si le plus grand reproche qu'on puisse adresser à notre médecine et à nos médecins est de s'être cantonnés dans le curatif — on soigne, soit, mais sans s'attaquer aux causes profondes des maux —, il faudra bien s'interroger sur leur fonction sociale et politique, une fois dressé le tableau des inégalités devant la santé.

UN EXEMPLE: VIVRE ET MOURIR À MONTRÉAL

Il existe une relation directe entre le niveau socio-économique des individus et leurs risques de mortalité et ce, à tous les âges et dans pratiquement toutes les grandes catégories de causes de décès: pour le dire en clair, les pauvres « meurent plus » que les riches. De plus, à niveau socio-économique comparable, les francophones de Montréal ont des taux de mortalité plus élevés que les anglophones, au chapitre notamment des maladies de cœur et des accidents de véhicules à moteur.

Telles sont les grandes conclusions qui ressortent d'une autre étude[1] menée en 1976 par Luc Loslier, pour le compte du service des études épidémiologiques du ministère des Affaires sociales. La recherche a porté sur la région du grand Montréal et a donc touché, à toutes fins pratiques, plus de la moitié de la population du Québec. Elle avait pour but de vérifier l'hypothèse selon laquelle des groupes socio-

---

1. LOSLIER, Luc, *La mortalité dans les aires sociales de la région métropolitaine de Montréal,* août 1976.

économiques homogènes se comportent d'une manière spécifique en matière de causes et de structures de mortalité.

Cette hypothèse, on vient de le voir, a été amplement vérifiée. Mais avant d'examiner les résultats plus en détail, un mot d'explication s'impose sur la méthodologie de cette étude. Il s'agissait dans un premier temps de déterminer des zones qui soient homogènes d'un point de vue socio-économique — plus homogènes que ne le sont en tout cas des régions socio-sanitaires, des comtés ou même des divisions de recensement. En effet, dire que le taux des maladies respiratoires s'élève à x dans le Montréal métropolitain ne permet pas de mesurer s'il y a une relation entre l'incidence de ce genre de maladies et le fait de demeurer dans l'Est ou dans l'Ouest. Pour tracer le contour de ces zones homogènes, Luc Loslier est donc parti des 384 unités d'observation que représentent les 284 secteurs de recensement de Montréal et les 100 municipalités qui l'entourent. Pour chacune de ces unités d'observation, le recensement de 1971 fournit des dizaines et des dizaines d'informations de nature socio-économique. Le chercheur a conservé 59 variables portant par exemple sur le revenu des familles, le taux de chômage, le logement, le niveau de scolarité, etc. Encore fallait-il pouvoir «lire» cet immense tableau, c'est-à-dire le réduire à des dimensions plus raisonnables. En rassemblant les 59 variables en trois grands facteurs-synthèse (le niveau de développement socio-économique à proprement parler, le type familial et résidentiel, la structure ethnique et professionnelle) et en analysant le score de chacune des 384 unités d'observation en regard de chacun de ces facteurs, il est possible de procéder à un regroupement en zones socio-économiques homogènes. Dans le cas présent,

LES INÉGALITÉS DEVANT LA SANTÉ

c'est à un total de 19 zones qu'on est arrivé, étant bien entendu que certaines de ces zones sont constituées d'espaces géographiques pas nécessairement continus.

Il ne restait plus alors qu'à étudier les caractéristiques de la mortalité, pour certaines causes et pour certains groupes d'âge, dans chacune de ces 19 zones pour voir si effectivement conditions socio-économiques et risques de décès sont en corrélation. Le tableau 6, qui ne retient que 8 des 19 zones et ne présente que 10 variables parmi les 30 étudiées, est d'une remarquable éloquence: l'indice de mortalité générale est presque deux fois plus élevé dans le T de la pauvreté que dans le très huppé Lakeshore, où par contre le revenu médian des familles est plus de deux fois plus fort que dans la première zone. Le T de la pauvreté, ce sont les quartiers de l'Est de la Métropole: Saint-Henri, Pointe Saint-Charles, Hochelaga-Maisonneuve, Frontenac, Centre-Sud, Saint-Louis, Mile End. Le Lakeshore, c'est l'ouest anglophone de l'Île de Montréal, Sainte-Anne de Bellevue exceptée; Ville Mont-Royal fait également partie de cette zone.

Exprimée en d'autres termes, la situation était donc la suivante: quand il mourait 100 personnes dans l'ensemble du Québec, 124 décédaient dans les quartiers pauvres de Montréal et 72 seulement dans les quartiers riches. Dans ces derniers, plus de la moitié des familles avaient un revenu annuel supérieur à $14 500, alors que dans les quartiers pauvres, plus de la moitié des familles gagnaient moins de $6 350 par an. Fait à souligner, tous les indices et taux de mortalité de cette étude ont été calculés à partir d'une moyenne du total de tous les décès enregistrés pendant trois années (1971 à 1973 pour la Cité de Montréal et 1970 à 1972 pour les autres municipalités).

L'observation du taux de mortalité infantile est elle aussi riche d'enseignements, si tant est que cet indicateur est généralement tenu comme révélateur de l'état de santé d'une population. Les disparités entre les zones sont encore importantes à ce chapitre, variant de 17,79 pour 1 000 naissances vivantes dans

Tableau 6

Indices de mortalité dans la région montréalaise
selon certaines zones socio-économiques homogènes et pour certains groupes d'âge ou causes de décès

	1	2	3	4	5	6	7	8
Revenu médian par famille ($)	6 053	6 334	7 676	8 699	8 760	9 603	12 081	14 522
Pourcentage de francophones	6,53	80,05	84,47	90,08	29,20	58,41	67,77	21,06
Mortalité générale, 1 an et plus	1,32	1,24	1,06	1,20	0,86	0,86	0,97	0,72
Mortalité infantile (taux)	3,66	17,79	17,12	19,93	15,20	19,63	14,49	11,89
Mortalité infantile exogène (taux)	4,49	6,72	6,28	10,46	4,47	4,54	7,98	3,48
Mortalité par maladies ischémiques, 35-64 ans	1,77	1,47	1,08	0,78	0,69	0,73	1,18	0,60
Mortalité par accidents de véhicules à moteur, 1-14 ans	1,00	1,09	0,81	0,67	0,37	0,00	0,85	0,06
Mortalité par cancer de la trachée, des bronches, des poumons, 35-64 ans	2,44	1,73	1,32	0,90	0,87	0,72	0,74	0,84
Mortalité par bronchite, asthme, emphysème, 35-64 ans	1,67	1,38	1,15	0,82	0,32	0,16	0,92	0,33
Mortalité par cirrhose du foie, 35-64 ans	6,84	2,41	1,47	1,21	1,08	0,49	1,03	0,69

Description sommaire des zones

1 Réserve indienne de Caughnawaga (les populations d'observation étant faibles dans cette zone, les taux obtenus doivent être analysés avec une certaine circonspection).

2 «le T de la pauvreté», moins les secteurs à prédominance d'immigrants; il s'agit entre autres des quartiers Saint-Henri, Pointe Saint-Charles, Hochelaga-Maisonneuve, Frontenac, Centre-Sud, Saint-Louis, Mile End.

LES INÉGALITÉS DEVANT LA SANTÉ

3 Rosemont et Plateau Mont-Royal, plus une partie isolée de la ville de Montréal, au nord-est de l'Ile, près de la Rivière des Prairies.

4 zone industrielle de Pointe-aux-Trembles et de Montréal-Est.

5 cette zone regroupe trois zones à domination d'immigrants, qui ont été regroupées parce que le niveau socio-économique n'influence pas très directement les comportements de mortalité.

6 Outremont.

7 banlieue francophone aisée de Boucherville, Saint-Bruno, Brossard, Candiac, Saint-Lambert.

8 Lakeshore (moins Sainte-Anne de Bellevue), Ville Mont-Royal, Hampstead et deux petites municipalités situées au nord de la rivière des Mille-Iles, Rosemère et Lorraine.

Source: *La mortalité dans les aires sociales de la région métropolitaine de Montréal,* Luc Loslier, août 1976, rapport d'un projet commandité par la direction générale de la planification, ministère des Affaires sociales.

les quartiers pauvres à 11,89 dans les quartiers riches. L'écart est toutefois plus net encore si l'on s'attache spécifiquement au taux de mortalité exogène, c'est-à-dire à cette partie de la mortalité infantile qui n'est pas imputable à des malformations congénitales ou autres problèmes d'ordre génétique. Autrement dit, à cette partie de la mortalité infantile qu'on peut directement associer aux conditions socio-économiques environnantes.

Autre point à relever: l'infarctus du P.D.G., la maladie de cœur qui-emporte-le-jeune-cadre-brillant relève bien plus de la légende que de la réalité. L'indice de mortalité par maladie ischémique du cœur, dans la population active des 35-64 ans, est presque deux fois et demi plus élevé dans l'Est pauvre que dans l'Ouest riche — et tout porte à croire que Saint-Henri n'est pas le refuge habituel du P.D.G. moyen!

Du côté de ces maladies de l'environnement pollué, des conditions de travail et de vie insalubres, des déséquilibres sociaux que sont les cancers des voies respiratoires, les bronchites, les emphysèmes et la cirrhose du foie, les inégalités entre pauvres et riches sont particulièrement bien tranchées: les indices de mortalité sont deux à quatre fois plus élevés chez les premiers que chez les seconds. Quant aux accidents de véhicules à moteur, ils constituent la seule cause de mortalité à ne pas pouvoir être mise en corrélation avec le niveau socio-économique, sauf dans le cas du groupe d'âge des 1-14 ans. Comme quoi il est plus dangereux de jouer à la balle molle sur la rue Ontario qu'aux billes dans les jardins de Westmount...

Il y aurait bien sûr encore beaucoup à dire au sujet de cette étude de Luc Loslier. Sur la population indienne de Caughnawaga, la plus pauvre de toutes et dont les indices de mortalité révèlent le piètre état de santé physique et sociale. Ou sur les immigrants, dont les indices de mortalité sont plutôt bons même quand leur niveau socio-économique est bas ou moyen. Ou sur les Québécois francophones qui, à niveau de revenu comparable à celui des anglophones, accusent des indices de mortalité souvent mauvais et parfois alarmants.

Ce dernier point soulève d'ailleurs plus d'une question, ramenant entre autres cette idée de notre « héritage de pauvreté » en matière de santé, rappelant aussi la récente et rapide transformation sociale qui a fait, en l'espace d'une ou deux générations, un peuple de citadins à partir d'une population de ruraux. Luc Loslier, bien entendu, ne prétend pas répondre à toutes les questions qu'il soulève. L'étude qu'il doit réaliser en 1977, et qui portera cette fois sur l'ensemble des villes et municipalités du Québec, aidera peut-être à le faire en partie. Sans fournir toutes les explications désirées, il montre toutefois, chiffres à l'appui, que ce que plusieurs affirmaient depuis parfois longtemps n'était pas dénué de sens ni de fon-

LES INÉGALITÉS DEVANT LA SANTÉ

dements: être pauvre, c'est être fortement plus exposé à la maladie et à la mort que si l'on était riche. Être pauvre, c'est être relégué en position d'infériorité face à la santé. Être pauvre, c'est être en situation permanente d'inégalité devant la vie.

LES TRAVAILLEURS ET LA SANTÉ

Cas-type de classe sociale vivant une telle situation d'inégalité, d'inégalité criante devant la santé: les travailleurs. Exposés aux accidents et aux maladies professionnelles de tous genres et de toutes gravités, ils sont contraints de vendre à leurs employeurs leur force de travail bien sûr, mais aussi leur santé et même leur vie. Car tel est bien notre monde. Selon les statistiques de la Commission des accidents du travail, la CAT, il s'est produit plus de 100 000 accidents au Québec en 1973: 1 pour 17 travailleurs. Ou si l'on veut, 1 toutes les 27 secondes. Toujours selon la CAT, 200 à 300 personnes meurent chaque année chez nous des suites d'accidents ou de maladies du travail; mais en transposant à ces données les résultats d'une étude américaine citée par un chercheur montréalais, Florian Ouellet, c'est par 7 qu'il conviendrait de multiplier ces chiffres pour avoir une bonne vision de la situation. Autrement dit, c'est environ 1 500 à 2 000 Québécois que tuerait chaque année le travail.

Car il est bien clair que les chiffres officiels en ce domaine sont toujours des minima. Des minima qu'il faut parfois même aller jusqu'à multiplier par... 10 pour s'approcher un peu plus fidèlement de la réalité! Ce n'est donc pas de 100 000 accidents annuels qu'il faudrait parler au Québec, mais d'un million. Pour 1,7 million de travailleurs couverts par les statistiques de la CAT... Et dans certains secteurs, la situation est encore plus dramatique. Toujours en appliquant le coefficient 10 aux chiffres officiels, il s'est produit en 1972 environ deux accidents par travailleur dans le secteur des abattoirs ou dans celui des navires, de la machinerie lourde et de l'acier de structure. Le taux de gravité des accidents (jours standards indemnisés par million d'heures de travail) connaissait lui aussi quelques sommets aberrants. Alors qu'il était de 1 978 pour l'ensemble du Québec, il s'élevait à 37 607 dans le secteur du forage de puits miniers.

Exceptions ? Cas-limite ? Sensationnalisme ? Allons donc. Tout esprit un tant soit peu éclairé reconnaît que nous sommes en face d'un des plus importants et des plus complexes problèmes de santé publique qui soit. Et d'un problème, d'ailleurs, que nous ne faisons que commencer à évaluer. Il est en effet frappant de voir que nous ne connaissons que fort peu de choses de la situation québécoise en matière de maladies professionnelles. Qu'on ne sait même pas avec précision le nombre, et à plus forte raison le nom, des personnes exposées, des personnes à risque. Et que nous en sommes encore en gros au stade de la participation volontaire de certaines compagnies à des programmes limités de surveillance médicale de certains de leurs travailleurs exposés à certains produits toxiques! L'ignorance, on le sait, profite toujours à quelqu'un.

Il existe néanmoins depuis peu certaines évaluations des problèmes de la santé au travail, notamment au niveau des populations exposées aux maladies industrielles les plus fréquentes: les intoxications, les pneumoconioses (ou réactions des tissus à l'accumulation de poussière dans les poumons), la surdité industrielle et les effets de l'exposition aux rayonnements ionisants (rayons X surtout). Si l'on ajoute à ces quatre catégories majeures des problèmes plus diffus allant du stress aux difficultés de fonctionnement pas nécessairement graves (problèmes de digestion, de sommeil, etc), on peut aller jusqu'à penser que 60 à 80% des travailleurs industriels québécois risquent de voir leur santé perturbée à cause de leurs activités professionnelles. C'est du moins le chiffre avancé en mai 1976 lors du colloque de l'Association des sociologues par un médecin montréalais, Paul Landry, directeur du Département de santé communautaire de l'hôpital Maisonneuve-Rosemont.

Dans une brochure[2] publiée par l'Institut de recherche appliquée sur le travail, l'IRAT, Florian Ouellet rapporte pour sa part des études américaines selon lesquelles «plus de 40% des travailleurs de villes comparables à Montréal telles que Denver et Chicago sont exposés à des dangers présentant un caractère urgent et sérieux pour leur santé». Il présente également les résultats d'une enquête du Service d'hygiène industrielle du ministère des Affaires municipales portant sur la situation dans 10 000 établissements industriels québécois: dans 80% de ces établissements, on manipule des substances dangereuses à une étape ou tout au long du processus de production; dans 40% des établissements, le bruit dépasse les normes permises; près de 70 000 travailleurs travaillent dans des situations propices aux maladies pulmonaires; il serait possible d'éviter 80% des 1 000 cas d'intoxication recensés si les travail-

---

2. OUELLET, Florian, *La santé et la sécurité au travail, pour une action collective sur les lieux du travail,* septembre 1975.

leurs étaient prévenus des dangers qu'ils encourent et si les conditions environnantes étaient contrôlées.

Ces chiffres, encore une fois, doivent être considérés comme bien raisonnables, voire conservateurs. Dans un document de travail du ministère des Affaires sociales intitulé « Premiers éléments d'un programme de surveillance médicale des travailleurs à risques de pneumoconioses », on reconnaît que ce nombre de 70 000 personnes exposées n'est pas très élevé en regard « du nombre important et de la variété des établissements présentant des conditions de travail propices au développement des pneumoconioses » : fonderies, cimenteries, usines de textiles, chantiers maritimes, ateliers de soudure, manufactures de verre, de tuile, de briques, de poterie, de poudres abrasives, alumineries, fabriques de polyuréthane en mousse, garages, exploitations agricoles spécialisées en aviculture et bien sûr, mines et industries connexes. Pourtant, et le même document de travail le précise bien, la CAT n'a rapporté en 1972 que 479 cas de pneumoconioses, dont 246 d'amiantose et 163 de silicose : et il s'agit des réclamations faites à la CAT ; préciser ici le nombre de cas compensés par la Commission relèverait de l'indécence publique. Notons au passage que les causes les plus fréquentes de pneumoconioses au Québec sont les poussières d'amiante (amiantose), de silice (silicose), de fer (sidérose), de coton (byssinose), ainsi que les vapeurs de polyuréthane (auxquelles sont exposées environ 600 travailleurs).

Le tableau n'est pas plus rose côté substances toxiques. D'abord parce qu'il en existe un nombre absolument effrayant : aux États-Unis, on parle facilement de 500 000 substances dangereuses employées dans l'industrie et la liste officielle du ministère de la Santé américain en dénombrait 47 000 en 1974. Ensuite parce qu'on peut soupçonner que le nombre de travailleurs qui manipulent de telles substances est fort important, comme on l'a vu plus haut. Enfin parce qu'il faut bien souvent attendre qu'un accident ou qu'un drame se produise pour que l'on se rende compte que tel produit n'est pas inoffensif — et tant pis pour ce cobaye de travailleur qui a fait les frais de la démonstration. Ceci dit, on ignore le nombre des personnes qui sont exposées à de telles substances toxiques, et bien évidemment le nombre de celles qui sont intoxiquées. Tout ce qu'on sait, c'est que 10% des 1 300 travailleurs inscrits au programme de toxicologie industrielle du Centre hospitalier de l'université Laval durant le premier trimestre de 1975 présentaient des taux de plomb ou de mercure dans l'organisme supérieurs à la moyenne, c'est-à-dire se situant entre l'imprégnation et l'intoxication. Dire que les compagnies qui participent à ce programme de surveillance provincial le font sur une base strictement volontaire et qu'elles choisissent elles-mêmes quels individus seront surveillés suffira à donner un frisson à l'idée de l'ampleur que doit avoir le problème au Québec... Qu'on se rappelle en tout cas les manchettes les plus récentes: les deux morts de la Canadian Copper (intoxication à l'arsine), les intoxications au plomb à la Carter White Lead, les deux intoxications, dont une mortelle, au trichloroéthane chez Marines Industries, les cancers du foie chez les ouvriers du plastique à Shawinigan, etc, etc. Et il ne s'agit bien que de cas susceptibles de «faire la manchette» de journaux dont les bien-pensants de tous poils diront évidemment qu'ils font du jaunisme.

La surdité industrielle — un autre problème de taille — n'a pas le caractère sensationnel des pneumoconioses ou des intoxications. Elle n'en est pas moins inquiétante puisqu'on estime qu'il s'agit du problème de santé occupationnelle le plus répandu. 170 000 personnes souffriraient de pertes auditives plus ou moins graves à cause de leur travail, avance un document du ministère des Affaires sociales. Un tiers de ces personnes travaillent dans le textile. Alors que le seuil critique est de 85 décibels et qu'on parle même de plus en plus de 80 décibels comme du vrai niveau acceptable, on tolère ici des bruits de 90 décibels. Et ce, pendant 8 heures ou plus. On sait que l'échelle de mesure du bruit est logarythmique, autrement dit qu'un bruit de 90 décibels est à peu près trois fois plus fort qu'un bruit de 80 décibels. La surdité, dira-t-on, ça ne tue pas son homme. Soit. Mais en plus de lui ôter une faculté tout de même essentielle, elle a sur l'organisme des effets à long terme qu'on commence à peine à soupçonner. Ce qui d'ailleurs est un peu le cas des conséquences de l'exposition aux rayons ionisants. 12 000 travailleurs québécois y sont régulièrement exposés, dans des conditions de sécurité pas toujours très bonnes, et on les retrouve un peu partout dans les secteurs de la santé (rayons X) et de l'industrie (substances radioactives). «Qui fait quoi en radioprotection au Québec? peut-on lire dans un autre document du MAS. Peu de gens, hélas, travaillent dans ce domaine, répond le document qui poursuit: il existe une seule équipe gouvernementale comprenant un physicien et un ingénieur qui ne peuvent toucher aux établissements visés par la Loi de la protection de la santé publique et qui de toutes façons ne peuvent s'occuper de la surveillance médicale des travailleurs dans l'industrie.»

Et ce n'est pas fini. Les conditions de travail néfastes à la santé ne se limitent pas à des problèmes d'environnement sonore, physique ou chimique.

LES INÉGALITÉS DEVANT LA SANTÉ

L'organisation même du travail peut être source d'affections plus ou moins graves, comme en témoigne avec éloquence une étude réalisée en 1973 par un sociologue de l'Université de Montréal, Marcel Simard, à la demande d'un groupe de travailleurs du textile de Drummondville[3]. Ces travailleurs, comme d'ailleurs plusieurs dizaines de milliers d'autres à travers le Québec dans les secteurs des pâtes et papiers, de l'aluminium, des mines, de l'automobile, du textile, de la métallurgie, de la pétrochimie, ces travailleurs donc sont soumis à l'horaire rotatif: le travail « sur les shifts », on le sait, permet à l'employeur de rentabiliser au maximum ses investissements. Dans le cas étudié par Marcel Simard, l'horaire rotatif était bâti sur un cycle de quatre semaines: du mardi au samedi inclusivement de la première semaine, l'employé travaillait de nuit; le dimanche et le lundi suivants, il commençait un horaire de soir, avait congé le mardi et le mercredi, et terminait sa seconde semaine le samedi suivant, toujours en horaire du soir; la troisième semaine commençait exactement huit heures après, puisque s'en venaient, à partir du dimanche matin, cinq journées de travail de jour: le vendredi suivant donc, l'employé en était à sa huitième journée de travail sans congé et à son deuxième type d'horaire; il avait alors droit à tout un beau vendredi et à tout un beau samedi de repos, comme je vous le dis, avant d'attaquer sa quatrième et dernière semaine, celle de « la swing » pour reprendre l'expression en usage dans cette usine: dimanche de 23 h à 7 h, lundi de 23 h à 7 h, mardi de 15 h à 23 h, mercredi de 15 h à 23 h, jeudi congé,

---

3. SIMARD, Marcel, *Conditions de travail et santé des travailleurs: le cas du régime rotatif de travail,* mai 1976.

vendredi de 7 h à 15 h et samedi de 7 h à 15 h — repose-toi bien, ça recommence mardi soir...

En comparant les employés du régime rotatif à un groupe témoin d'employés qui travaillaient régulièrement de jour, l'étude du sociologue a pu mettre en évidence un certain nombre de problèmes de santé directement causés par ce type d'organisation de travail. Presque la moitié des travailleurs du rotatif éprouvaient de la difficulté à dormir assez souvent et presque tout le temps, contre moins d'un cinquième chez les travailleurs du régulier ; les proportions de ceux qui estimaient ne pas avoir un sommeil reposant reflétaient, pour les deux groupes, les proportions de ceux qui avaient des difficultés à dormir. D'où l'utilisation de «pilules pour dormir», notée chez 26% des rotatifs et chez 10% des réguliers — dont la moitié d'ailleurs avaient commencé de prendre des médicaments de ce genre... alors qu'ils travaillaient sur l'horaire rotatif. À noter de plus que la moitié des ouvriers du rotatif ressentaient un état de fatigue continuelle, contre le quart dans l'autre groupe. Dans un autre domaine, plus du quart des travailleurs de la production continue avaient des difficultés régulières avec leur digestion, proportion qui était deux fois moins élevée dans l'autre groupe. Et les employés du rotatif qui avaient des brûlements d'estomac occasionnellement ou régulièrement étaient deux fois plus nombreux que ceux de l'horaire régulier.

Plus grave encore, et c'est le résultat le plus neuf de la recherche de Marcel Simard, il a été établi que «les ouvriers de l'horaire rotatif avaient trois fois plus de probabilités objectives que les ouvriers travaillant régulièrement de jour de souffrir d'ulcères gastriques.» D'autres facteurs, note bien sûr Marcel Simard, peuvent aussi contribuer à l'apparition de

LES INÉGALITÉS DEVANT LA SANTÉ

cette affection, notamment le fait de se trouver dans une situation jugée très indésirable mais dont on sait ne pas pouvoir sortir. Or, les employés du rotatif désiraient changer d'horaire à 95% mais savaient qu'ils ne le pouvaient pas : il leur aurait en effet fallu changer de département et donc, à cause du régime d'ancienneté en vigueur dans cette usine, perdre du même coup tous les droits acquis dans leur département d'origine ! Ce qui montre clairement, pour reprendre la conclusion de Marcel Simard, que « l'horaire n'est évidemment qu'un aspect des conditions de travail susceptibles d'affecter la santé des travailleurs. Il serait opportun, poursuit-il au terme de cette étude, de commencer à analyser l'impact sur la santé de certaines conditions de travail comme le rythme de travail, les pauses et les temps de repas, l'allongement des heures de travail par le temps supplémentaire, les régimes de rémunération (au rendement, à l'heure, etc), les pratiques de maîtrise, etc. En somme, écrit encore Marcel Simard, c'est à une évaluation de l'ensemble de l'organisation industrielle du travail, surdéterminée par les impératifs de la gestion capitaliste, qu'il faut s'atteler. »

Les teintes du tableau varient du brun foncé au noir quasi parfait. D'autant plus que prise par son bout économique, la question ne se présente guère mieux : en 1973 par exemple, les accidents *déclarés* ont fait perdre au Québec 2,5 millions de journées de travail, les conflits de travail n'en faisant perdre que 1,5 million. La même année, mais pour le Canada cette fois, les chiffres étaient respectivement de 10,5 millions de journées pour les accidents et de 5,8 millions pour les grèves. Dans une série d'articles sur la question publiés en février 1975[4], Gilles Provost éva-

4. PROVOST, Gilles, « Santé et travail », *Le Devoir,* 22 au 26 février 1975.

lue le coût des accidents de travail au Québec à $800 millions pour 1973 et à plus de $1 milliard pour l'année suivante[5], en prenant pour base des études ontariennes selon lesquelles leur coût réel est au moins six fois plus élevé que ce que paient les organismes de compensation. Une question vient donc à l'esprit, devant l'ampleur du gâchis et l'énormité du problème: que font donc les pouvoirs publics pour lutter contre ce qu'on ne peut que qualifier de fléau social?

Ils font ce qu'ils peuvent. Et ils peuvent peu. À Québec, on nage entre fouillis et impuissance, avec de temps à autre une petite déclaration pro-travailleurs et une gentille concession pro-employeurs: le parti au pouvoir ne représente pas spécialement les classes laborieuses de la nation et il s'acquitte assez bien merci des mandats que lui ont confiés celles qui l'ont mis en place et l'y maintiennent. Pour en rester en tout cas au fouillis administratif, 5 organismes gouvernementaux appliquent une demi-douzaine de lois et une série de règlements touchant la santé et la sécurité des travailleurs. Un document du ministère des Affaires sociales résume en ces termes le partage des responsabilités: «Le ministère du Travail s'occupe de la sécurité et de la salubrité dans les industries, les services de Protection de l'environnement de l'hygiène industrielle, le ministère des Richesses naturelles exerce les deux fonctions de sécurité et d'hygiène en milieu minier, la Commission des accidents du travail assure la compensation et la réadaptation. À l'heure actuelle, c'est le rôle de leadership du ministère des Affaires

---

5. Dans un discours prononcé aux Communes le 28 janvier 1976, le ministre canadien de la Santé, M. Marc Lalonde, parlait pour sa part d'un coût «probable» de $3 milliards.

LES INÉGALITÉS DEVANT LA SANTÉ

sociales, c'est-à-dire assurer la prévention, la surveillance médicale et le contrôle de la santé des individus au travail, qui est déficient. »

Bien sûr, tout n'est pas aussi simple, clair et parfait que ce schéma. Les règlements, par exemple, peuvent être contradictoires et l'on raconte cette époque — pas si lointaine — où le ministère du Travail demandait d'apporter des changements aux machines bruyantes alors que le service de Protection de l'environnement recommandait plutôt le port de protecteurs auditifs par les employés. Ou peut-être était-ce l'inverse? Mais peu importe, les fonctionnaires ne s'entendaient pas, les ouvriers encore moins et les patrons pouvaient se frotter les mains... en silence. Autre aspect de la question: l'inspection, ou plus exactement la sous-inspection des lieux de travail. L'un des syndicalistes québécois dont le nom est le plus associé à la lutte pour la santé des travailleurs, Michel Chartrand, vitupère «qu'il y a plus de garde-chasse au Québec qu'il n'y a d'inspecteurs du travail». Et les faiblesses sont effectivement incroyables de ce côté: les 150 inspecteurs du ministère du Travail représentent, et de loin, le plus gros de l'armée. Et il y a plus de 100 000 employeurs au Québec.

Quant à la Commission des accidents du travail, le moins qu'on puisse en dire est qu'elle mérite bien d'être si souvent placée sur la sellette. Grosse mutuelle d'assurance des employeurs par qui elle est entièrement financée, elle se contente de payer les pots cassés. Mais pas tous, bien entendu. À force de négocier un poumon par-ci et une jambe coupée par-là, un 30% d'invalidité à Asbestos et une pension de veuve à Montréal, elle arrive à contenir les coûts dans des limites somme toute acceptables par ceux qui payent la note — même si ces derniers s'arrangent pour crier, à qui veut les entendre, à la ruine ou aux dépenses inconsidérées. Qu'il y ait toutefois des bonnes volontés chez certains employés de la CAT, on ne le niera pas; mais rien n'exprime mieux leur faible marge de manœuvre que cette déclaration publique d'un médecin de la Commission lors du colloque de l'Association des sociologues, à Sherbrooke: «On nous demande de laver le plancher, avouait-il, mais on ne nous donne pas la *moppe*...»

En parlant de ménage, il faut bien évoquer maintenant l'existence du comité interministériel d'hygiène et de sécurité au travail dont le mandat principal, depuis juin 1974 qu'il est en place, est justement de mettre un peu d'ordre dans le bataclan des lois, des règlements, des juridictions et des méthodes de fonctionnement. Formé de représentants des ministères du Travail (qui est à l'origine de sa création), de la Justice, des Richesses naturelles, des Affaires sociales, ainsi que de la Commission des accidents du travail et du service de Protection de l'environnement (les trois centrales syndicales et les trois associations patronales concernées y comptent chacun un membre invité), le comité interministériel a aussi pour mandat de coordonner les activités de prévention et de définir une politique globale de santé et de sécurité au travail. En quelque sorte, de mettre au point un règlement unifié et cohérent, un code québécois d'hygiène industrielle. Encore une fois, l'idée est belle et bonne. Sur le papier du moins. Car il ne semble pas que les cadences soient exténuantes au comité interministériel. Ce n'est pas le genre travail à la chaîne ni rémunération au rendement. Le projet de règlement unifié est encore et encore à l'étude, dans un mouvement de valse-hésitation des plus réussis et dans un climat de piétinement politico-administratif des plus classiques: pas de décisions

LES INÉGALITÉS DEVANT LA SANTÉ

sur des dossiers chauds en période pré-électorale — même, et surtout, si l'on est perpétuellement en période pré-électorale.

Le service de médecine du travail du ministère des Affaires sociales est lui aussi dans une phase plutôt végétative de son épanouissement. Les éléments de programmes de surveillance médicale des groupes de travailleurs exposés aux pneumoconioses, aux substances toxiques, aux rayonnements ionisants et au bruit sont pratiquement restés à l'état de documents de travail, même si les budgets requis n'étaient finalement pas très élevés en regard de l'urgence patente de commencer à «faire quelque chose». Le départ d'un homme comme Gilles Thériault, l'un des trop rares médecins-hygiénistes québécois, du service de médecine du travail du MAS est tristement significatif du peu d'importance que le gouvernement actuel est effectivement prêt à accorder à la question. Déçu de voir combien les choses n'avançaient pas au ministère «même si le ministre réalise les besoins», Gilles Thériault est retourné enseigner à la Faculté de médecine de l'université Laval. De cette expérience, il garde une certaine «amertume», pour ne pas dire plus. Évoquant la lenteur des décisions en matière de santé au travail, il commente: «Ceux qui ont le pouvoir ont les pieds pesants...»

Quand nous parlons des trop rares médecins-hygiénistes québécois (à ne pas confondre avec les médecins d'entreprises, tout de même plus nombreux), nous oublions de mentionner les 32 médecins qui se sont retrouvés un beau matin médecins-hygiénistes du gouvernement du Québec après nomination par... le lieutenant-gouverneur en conseil. Il s'agit des 32 directeurs de Départements de santé communautaire à qui la Loi des établissements industriels et commerciaux donne des pouvoirs assez importants en matière de santé au travail, allant jusqu'à l'enquête spéciale sur les lieux. Mais le petit problème, pour l'instant du moins, est que ces médecins ne sont pas nécessairement formés ni ouverts aux questions de santé au travail et que dans l'ensemble, les DSC se voient surchargés par les programmes traditionnels de surveillance de la santé publique (vaccination par exemple) et disent ne pas avoir de ressources pour s'occuper sérieusement de cette branche de la santé publique qu'est l'hygiène du travail.

Ajouter que dans ce domaine la recherche est à peu près inexistante au Québec, nous semble parfaitement redondant. Car une chose au moins ressort de ce panorama global: la santé occupationnelle est une préoccupation relativement récente au Québec ou plus exactement, ce n'est que depuis peu que les problèmes de santé au travail sont publiquement exposés et ouvertement discutés. Il existe bien sûr, et parfois depuis assez longtemps, une médecine *au* travail, des services de santé d'entreprise dont le rôle, disons-le crûment, s'apparente à celui du service d'entretien de la machinerie. Engagés et payés par l'employeur, ces médecins au travail jouissent de la liberté de manœuvre généralement dévolue par un patron à un employé: la liberté d'adhérer aux objectifs et de servir les intérêts de l'entreprise. Et quand nous disons médecins *au* travail, il ne faut pas se prendre aux mots. L'Association de médecine industrielle de la province de Québec, l'AMIPQ, regimbera sans doute, mais il faut regarder les choses en face: la médecine d'entreprise au Québec, c'est actuellement 15 à 20 médecins à plein temps dans les grandes entreprises et 400 à 450 médecins à temps partiel ailleurs (depuis une ou deux journées par se-

LES INÉGALITÉS DEVANT LA SANTÉ

maine dans l'usine jusqu'à la simple responsabilité d'examiner en cabinet privé les individus envoyés par l'employeur). «Et je suis sûr, dit Gilles Thériault, que 50% des médecins d'entreprise n'ont jamais mis les pieds dans l'usine pour laquelle ils travaillent!» Ajoutez à cela le fait que le médecin n'est pas formé à faire la relation travail-santé et que la médecine est orientée vers le diagnostic individuel, ou, comme le dit un document de l'Organisation mondiale de la santé, que «la situation actuelle se caractérise plus par l'exercice de la médecine générale dans l'industrie que par la pratique d'une véritable médecine industrielle[6]», et vous mesurerez toute la distance qui nous sépare encore de l'avènement de l'hygiène du travail au Québec.

Peut-on malgré tout espérer en un déblocage prochain dans le domaine de la santé occupationnelle? L'optimisme paraît difficile quand on considère, d'une part, les lenteurs gouvernementales à accoucher de la moindre réformette et, d'autre part, l'âpreté des luttes que doivent mener les organisations syndicales pour obtenir des mesures de salubrité ou de protection parfois minimales. Que la Fédération des travailleurs du Québec et la Confédération des syndicats nationaux fassent de la santé, depuis deux ou trois ans, un point de revendication privilégié est un bon signe: mais les batailles seront longues — on le voit dans l'amiante — avant que le fruit de ces revendications ne s'inscrive en toutes lettres et en bonne place dans les conventions collectives. Il est évident en effet que ces revendications touchent au vif le nerf de notre système économi-

---

6. *Surveillance de l'environnement et de la santé en médecine du travail*, Rapport d'un comité d'experts à l'Organisation mondiale de la santé, 1973.

que : la libre recherche du profit. Et il est encore plus évident que les tenants du pouvoir défendront leurs droits acquis par tous les moyens, entre autres en chargeant le parti politique qu'ils font élire de contenir les changements dans les limites de ce qui *leur* est acceptable. Le mieux que l'on puisse attendre d'eux, le laconique « énoncé de politique patronale en matière d'accidents de travail et de maladies industrielles » publié par le Conseil du patronat du Québec en septembre 1975 nous en donne un aperçu. Le texte de deux courts feuillets commence par ce paragraphe : « En sa qualité de propriétaire ou de représentant des propriétaires d'une entreprise, tout employeur a le droit de diriger son entreprise. Un tel droit lui confère par ailleurs l'obligation d'assurer la santé et la sécurité de ses employés en milieu de travail. »

Dans *La santé et la sécurité au travail,* Florian Ouellet démontre bien que de toutes façons, nous sommes en face d'un problème de fond. Découlant d'intérêts opposés, les approches patronale et syndicale en la matière sont aux antipodes l'une de l'autre, explique-t-il en substance. Les trois vérités du credo patronal sont en effet les suivantes : « 1. les actions dangereuses posées par les travailleurs sont la cause de la presque totalité des cas d'accidents du travail ; 2. la diminution des accidents du travail repose sur le conditionnement des travailleurs à des attitudes et des comportements sécuritaires ; 3. la protection de la santé des travailleurs se fait par le port de moyens individuels de protection. » À l'opposé, écrit plus loin Florian Ouellet, l'approche syndicale est la suivante : « 1. l'objectif poursuivi est l'assainissement du milieu du travail, une question globale qu'on ne peut ramener à des comportements et à des attitudes individuelles pas plus qu'à des mesures disciplinaires; 2. la santé et la sécurité ne sont pas marchandables; 3. les problèmes doivent être supprimés à la source: il ne s'agit pas de les contourner par des mesures de prudence et par le port des moyens individuels de protection, mais bien d'éviter aux travailleurs individuels de devoir constamment choisir entre leur protection et leur production; 4. l'assainissement du milieu de travail passe par le contrôle des travailleurs; 5. l'action syndicale repose sur l'utilisation du rapport de force et non sur une illusoire collaboration syndicale-patronale. »

Parler d'écart entre les deux positions serait un euphémisme: c'est bel et bien le fossé qu'il faut diagnostiquer. Le seul moment où les intérêts des patrons les font pencher sérieusement du côté de la sécurité et de la prévention, c'est quand la main-d'œuvre devient rare et chère — donc précieuse. La médecine occupationnelle et l'ergonomie, la science de l'homme au travail, n'ont jamais fait de bonds aussi extraordinaires que pendant ces périodes de pénurie de travailleurs et de boom industriel que sont les grandes guerres! Sans voir aussi loin, les actuelles mesures anti-inflationnistes du gouvernement canadien pourraient éventuellement inciter les syndicats, bloqués sur le front strictement monétaire, à négocier de meilleures conditions de travail dans une optique de santé et de sécurité. Mais la baisse de l'emploi qu'elles risquent d'engendrer et la relative abondance de main-d'œuvre qui en découlera iront à l'encontre de cette tendance.

Ceci dit, et c'est quand même un peu encourageant, les travailleurs et leurs syndicats sont de plus en plus conscients des batailles qu'ils doivent mener pour leur santé et leur sécurité, que ce soit dans l'amiante, sur les chantiers maritimes ou à la Canadian Steel. Ils sont de plus en plus conscients que c'est sur les lieux de travail qu'ils doivent commencer par exercer leur vigilance et mener leurs actions, pour reprendre les mots de Florian Ouellet. Et que c'est autour de ceux qui vivent les problèmes dans leur vie professionnelle de tous les jours que doivent s'articuler les batailles pour la santé, pour reprendre l'expression d'un conseiller de la CSN dans le secteur de l'amiante, Mario Dumais.

Verra-t-on bientôt se concrétiser les résultats de ces nouvelles prises de conscience? On a déjà compris qu'il ne fallait pas croire au miracle et que les luttes seront encore longues. Comme le dit Gilles Thériault: «L'alarme est sonnée, mais l'heure n'est pas encore aux solutions...»

4.
ÊTRE INDIEN, ÊTRE FEMME

Que le travail tel qu'il est actuellement organisé soit une source de risque pour plusieurs centaines de milliers de travailleurs québécois, voilà sans doute qui constitue, dans notre société, l'inégalité la plus importante face à la santé. D'autant plus que cette inégalité fondamentale est à son tour source d'autres injustices tout aussi révoltantes. À petit salaire, petite santé. Et petite qualité de vie. Une étude toute récente du Centre de services sociaux du Montréal métropolitain sur l'appauvrissement des petits salariés décrit l'engrenage: on travaille dur, on y laisse sa santé, on perd son emploi, on devient chômeur puis assisté.

Avec le cortège de problèmes qui accompagnent toujours cette condition. Les personnes les plus défavorisées ont plus souvent une alimentation déficiente et souffrent plus fréquemment d'obésité que les personnes des milieux favorisés, montre une enquête réalisée à Québec en 1972; elles ont aussi les connaissances en nutrition les plus pauvres. «La propension à pratiquer des activités physiques s'accroît avec le revenu total de la famille au sein de laquelle on vit», constate pour sa part en 1974 le Comité d'étude sur la condition physique des Québécois [1], qui ajoute: «Nos données démontrent que la participation à des activités physiques s'accroît d'environ 30% lorsqu'on compare les gens ayant eu une éducation du niveau élémentaire avec ceux qui se sont rendus jusqu'à des études post-secondaires.» Il y a à peine quelques années, plus de la moitié des personnes de Saint-Henri et de la Pointe Saint-Charles qui participaient à un camp familial organisé par la Fédération des travailleurs du Québec en étaient à *leur premier départ en vacances* de leur vie [2]; on se rappelle que ces deux quartiers de l'est de la Métropole font partie de ce T de la pauvreté où l'on «meurt plus» que dans les quartiers riches.

On pourrait bien sûr multiplier, si besoin en était, les exemples d'inégalités socio-économiques devant la santé. Ils sont légion. Mais il existe aussi, à l'intérieur comme à l'extérieur des classes défavorisées, certains groupes de population qui sont placés comme tels en situation d'inégalité face à la santé. Qu'on pense par exemple aux jeunes, chez qui les problèmes de mortalité par accidents de véhicules à moteur sont plus qu'alarmants, chez qui l'alcoolisme remonte en flèche depuis quelques années, chez qui les maladies vénériennes prennent des allures d'inquiétante épidémie: où sont les responsabilités, les vraies et profondes responsabilités? Qu'on pense aussi aux vieillards, à la décrépitude physique et mentale qu'on leur impose entre hospice et hôpital, à la surconsommation de médicaments et de services ultra-spécialisés dans laquelle on les enferme faute

---

1. Dans le rapport du Comité au ministre d'État responsable du Haut-Commissariat à la jeunesse, aux loisirs et aux sports, juillet 1974, p. 73.
2. Rapporté par François Huot, «Pour ne pas mourir idiot», *Loisir Plus*, décembre 1975.

de savoir quoi faire d'autre avec cet âge qui n'a d'or que le nom.

Qu'on pense aux Indiens et aux Inuit, doublement dépossédés de leur santé, par la médecine et par les Blancs. Qu'on pense encore aux femmes, elles aussi doublement dépossédées de leur santé, par la médecine et par les hommes. Par la médecine des mâles.

LES INDIENS, LES INUIT ET LA SANTÉ

Incidence de tuberculose quatre à cinq fois plus élevée que la moyenne québécoise ; taux de mortalité infantile une fois et demie plus élevé que pour l'ensemble du Québec ; taux de mortalité comparatif dépassant de 40% le taux québécois, services médicaux et para-médicaux comparables à 25 ou 50% seulement à ceux du reste du pays, quantitativement parlant : ces quelques indicateurs donnent un aperçu de l'état de santé actuel de la population indienne du Québec, cette autre laissée-pour-compte des progrès sanitaires des récentes années, voire des dernières décennies. On trouve ces données dans un rapport sur la santé et les services de santé chez les Indiens du Québec, fruit d'une enquête réalisée par leur Association durant l'année 1975[3]. À cette occasion, les auteurs du rapport, Robert Remis, Barbara Stewart et Marc Gill, avaient visité 27 des 37 réserves indiennes québécoises, soit environ les trois quarts de la population indienne du Québec.

---

3. REMIS, Robert, STEWART, Barbara et GILL, Marc, *Rapport sur la santé des Indiens du Québec*, décembre 1975.

DEMAIN LA SANTÉ

Exerçant de son côté «dans des conditions assez similaires sous certains rapports à celles de l'Amérique latine», un médecin du Nouveau-Québec, Charles Dumont, présente le même genre de diagnostic. Dans une entrevue publiée par *Le Médecin du Québec*[4], il relève «le taux très élevé de morbidité chez les enfants» et insiste sur «la tendance aux infections, bronchite chronique, pharyngite, otite». Selon Charles Dumont toujours, «la tuberculose demeure un problème important, surtout chez les Esquimaux: malgré les progrès, elle reste plus fréquente que dans la population blanche.» Le médecin note encore que «l'obésité est très fréquente chez les Indiens, mais que les maladies du cœur, les ulcères d'estomac et les cancers sont plus rares. Le cancer du sein, par exemple, est pratiquement inconnu chez les Indiennes et les Esquimaudes qui ont allaité.»

À sa façon, et même si elle n'inclut que le cas d'une seule réserve indienne, celle de Caughnawaga, l'étude de Luc Loslier sur les causes de mortalité dans la région de Montréal (voir chapitre 3) montre elle aussi que la situation n'est pas rose côté santé chez les Indiens. Plusieurs des indices de mortalité, à Caughnawaga, atteignent en effet des cotes plutôt inquiétantes: 1,32 pour l'indice de mortalité générale chez les un an et plus (ce qui signifie, rappelons-le, que dans cette catégorie de cause et d'âge et à populations égales, 132 Indiens mourraient sur cette réserve quand 100 personnes meurent au Québec); dans la population des 35-64 ans, l'indice de mortalité par cancers de la trachée, des bronches et du

---

4. «Médecins chez les Cris et les Inuits», une entrevue avec le docteur Charles Dumont», *Le Médecin du Québec,* octobre 1975.

poumon est de 2,44 ; il est de 1,67 dans le cas de la bronchite, de l'emphysème et de l'asthme ; de 1,77 dans celui des maladies ischémiques du cœur. Quant à l'indice de mortalité par cirrhose du foie, il atteint le niveau record de 6,84, dans la population des 35-64 ans toujours. Et pourtant, Caughnawaga ne fait pas nécessairement partie des réserves les plus mal desservies ni les plus isolées : elle se trouve à un quart d'heure du centre de Montréal. Il faut d'ailleurs remarquer que selon cette même étude de Luc Loslier, le taux de mortalité infantile y est particulièrement bas, contrairement à ce qui se passe en général dans la population indienne et esquimaude, installée plus loin des grands centres urbains.

Car pour reprendre les mots de Charles Dumont, « les conditions de vie, globalement, posent un problème. Elles sont sans doute l'un des facteurs essentiels de la fréquence de la tuberculose, entre autres. » Autrement dit, Indiens et Inuit ont — eux aussi — leurs « maladies de civilisation », qui trouvent leur origine dans la situation socio-économique de dépendance qui caractérise aujourd'hui ces populations : dans les villages que leur construisent les Blancs, les problèmes d'hygiène sont par exemple sans commune mesure avec ceux qu'elles rencontraient dans leur habitat traditionnel. En plus de mentionner des maladies pulmonaires et des complications de maladies bénignes, Marc Gill insiste sur la fréquence des accidents chez les Indiens (par noyade, par véhicules à moteur) et note que les maladies cardio-vasculaires font leur apparition depuis les dernières années. Et il y a, bien sûr, l'alcoolisme et ses effets dévastateurs sur la santé : les chiffres de Luc Loslier sont là pour le montrer, puisqu'à Caughnawaga, l'indice de mortalité par cirrhose du foie chez les 35-64 ans est presque 7 fois plus élevé que pour l'ensemble du Québec. Aux problèmes d'alcoolisme s'ajoute, selon Charles Dumont, «l'intoxication avec l'essence d'avion, chez les Esquimaux surtout. Ils reniflent de l'essence d'avion comme les jeunes d'ici reniflent de la colle, précise le médecin de Fort-Georges, et cela produit chez eux une sorte d'ébriété très semblable à celle que peut causer l'alcool. Il y a un an, quelqu'un est mort fort probablement des suites d'une intoxication chronique. »

Mais bien plus tragique encore est cette autre forme d'intoxication dont les Cris ont été chez nous les premières victimes «célèbres»: l'intoxication par le mercure, et plus précisément par le mercure organique. On connaît les faits. En juillet 1975, des prélèvements sanguins effectués chez des Indiens Cris de la région de Matagami, dans le Nord-Ouest du Québec, révèlent des taux de mercure anormalement élevés — parfois plus de 50 fois plus élevés que les taux normalement observés. Deux mois plus tard, en Ontario cette fois, une équipe japonaise invitée par la Fraternité nationale des Indiens annonce que 37 des 89 Ojibwés examinés présentent des symptômes de la terrifiante maladie de Minamata. C'est la consommation régulière de poisson contaminé au mercure qui est la principale cause de cette lente, sournoise et irréversible atteinte au cerveau. L'opinion publique s'alarme, d'autant plus que les autorités sanitaires, apprend-on alors, connaissaient depuis quatre ans l'existence du problème.

Au Québec, où la maladie de Minamata est presque en passe de devenir la maladie de Matagami, on se résoud à agir[5]. À la fin de novembre 1975, le mi-

5. Sur l'ensemble de cette question, voir: ELLIOTT, Jacques, AZZARIA, Louis-M. et BARBEAU, André, *Dossier mercure, de Minamata à Matagami*, 1976.

nistère des Affaires sociales crée le Comité d'étude
et d'intervention sur le mercure, qui se rend à Matagami dès la fin du même mois. La mission scientifique examinera alors 12 Indiens et 4 Blancs. Elle
diagnostiquera 5 cas certains d'intoxication au mercure organique et 2 cas probables chez les Indiens,
et n'en découvrira aucun chez les Blancs. Deux autres missions, au début de 1976, permettront de découvrir 1 autre cas certain et 17 autres cas probables,
toujours chez des Indiens. Depuis, rien. On n'a pu
qu'emboîter le pas au ministère de la Santé fédéral,
qui pour toute solution a dû se contenter d'une re-
commandation gastronomique aux populations-
cibles: éliminer le poisson de leur régime alimentaire.

Car le problème est complexe, disent, impuis-
sants, les pouvoirs publics. Il y a d'abord les inévitables «chicanes de ppm»: à partir de combien de
parties par million y a-t-il intoxication, se demandent
des scientifiques titilleux avec le sérieux de sophistes
débattant du nombre de cailloux nécessaires pour
faire un tas de cailloux... Il y a aussi et surtout la
question des responsabilités: qui pollue? Dame Nature, parfois bien généreuse, hélas, en mercure natu-
rel? Ou Dame Domtar, qui utilise, pour fabriquer du
chlore et de la soude, un procédé à base de mercure? Qui exploite son usine à Lebel-sur-Quévillon,
en plein cœur de la zone où les Cris ont été intoxi-
qués. Et qui doit bien elle aussi participer à ce joli
gâchis que représente, au Québec seulement, la
disparition dans l'environnement de 80% des 70 tonnes de mercure «perdues» par les usines de chlore-al-
kali entre 1972 et 1975.

Quoi qu'il en soit, et c'est là notre propos, cette
affaire du mercure illustre de manière tragique à quel
point les Indiens peuvent avoir été dépossédés de

leur santé par les Blancs. La seule « solution » que nous puissions leur proposer — puisqu'il n'est pas question que nous nous passions de chlore ni de soude — c'est qu'ils se passent, eux, de poisson. Après tout, ils devraient bien en être lassés, depuis plus de dix siècles qu'ils en mangent !

LES FEMMES ET LA SANTÉ

La scène se répète à peu près tous les vendredis soir de l'année : en auto de Québec ou de Chicoutimi, de Trois-Rivières ou de Rimouski, en autobus de Montréal, des femmes somme toute « chanceuses » entreprennent un petit voyage outre frontières. Destination : l'État de New York. Programme de la visite : avortements à la chaîne. Coût : $200 et plus. Ce n'est pas vraiment donné, mais c'est tout de même mieux que le bricolage clandestin et dangereux dont cette énumération tirée du très populaire Almanach Beauchemin donne une idée : absorption d'ergot ou de sulfate de quinine, introduction dans l'utérus d'aiguilles à tricoter, de cintres de vêtement, d'écorce d'orme, de stylo-bille, de baguettes chinoises, de colle, de tubes de caoutchouc, de gaz, de pinceaux, de tringles à rideaux, de fils téléphoniques, de mousses de savon, d'alcool, de permanganate de potassium, de pentothal de sodium, techniques de l'aspirateur (mais oui, la balayeuse électrique), du grand violent ménage, de la chute dans l'escalier, des bains brûlants ou glacés... C'est à faire frémir. Et c'est évidemment catastrophique en termes de santé. Plus sécuritaires, les voyages chez nos voisins du Sud n'en sont pas moins traumatisants — d'autant plus qu'un bon tiers des voyageuses n'a pas 20 ans. Et là encore, nous ne raisonnons pas sur des cas d'école : même si les statistiques du ministère des Affaires sociales parlent de 12 200 avortements en 1973 (dont... 8 illégaux), c'est plus probablement 25 000 Québécoises environ qui doivent en passer par là tous les ans. De ce nombre, 6 000 à 7 000 auraient moins de 20 ans (les statistiques officielles avancent le chiffre de 1 300).

L'avortement est en soi un problème de santé capital pour les femmes. Il est aussi un excellent révélateur de la situation d'inégalité et d'aliénation qui est leur lot commun dans notre société d'hommes : «la femme est-elle maîtresse de son corps ? », se demande Ellen Frankfort. Car il est pour le moins révoltant que face à ce *fait* que constitue l'avortement, cette société d'hommes réagisse par la répression ou par l'indifférence. Morgentaler est en procès pendant qu'on s'obstine à ne même pas mettre en place, dans les hôpitaux francophones notamment, les très légaux comités d'avortement thérapeutique. Ou à y imposer des quotas purement arbitraires, comme si on imposait des quotas aux jambes cassées, aux accidentés de la route ou aux cirrhoses du foie...

Plus alarmante encore est cette question de l'avortement quand on la replace dans son contexte global : celui de l'idéologie dominante mâle qui refuse à la femme le droit de décider ce qu'il adviendra d'elle et de son propre corps. Situation qui se traduit, concrètement, par la grande misère de la contraception dans nos sociétés. C'est à la femme de se débrouiller si elle ne veut pas «se faire prendre», dit l'idéologie mâle sans pourtant lui en laisser choisir les moyens raisonnables (information, éducation, gratuité, accessibilité légalement garantie, etc...). Le cas des très jeunes femmes est particulièrement inquiétant à cet égard. «L'adolescente doit franchir une série de barrières avant d'en arriver à une situation contraceptive efficace, explique une travailleuse sociale de Montréal, Monique Lapointe. Elle doit en premier lieu dépasser son propre refus de la contraception, qui correspond au refus d'envisager une vie sexuelle active malgré le double interdit qui pèse sur elle, en tant que jeune et en tant que femme; elle doit ensuite dépasser sa crainte d'essuyer un refus auprès du médecin, ou de se faire dénoncer par ce dernier aux parents, ou encore de se faire faire la morale[6].»

Corollaire de ces politiques d'hommes-autruches: assumez seules, mesdames, les conséquences de «vos» actes. Procurez-vous à 15 ans «la pilule» au marché noir — il en existe un, organisé à la grandeur du Québec — et arrangez-vous comme vous le voudrez avec ces prescriptions de trottoir et ces produits de douteuse qualité. Avortez comme vous le pourrez, dans des conditions souvent dangereuses pour votre santé physique et mentale et toujours coûteuses et dégradantes. Et si vous devez garder les petits que nous vous aurons faits, sauvegardez comme bon vous semblera votre équilibre psychologique et social à travers «vos» grossesses indésirées. Nous nous en lavons les mains. Comme nous nous lavons les mains du fait que plus du tiers des 6 500 naissances hors-mariage enregistrées au Québec en 1973 soit imputable à des mères de moins de 20 ans. «Au Québec pourtant, dit un médecin montréalais, Adrien Sherrer, il y a eu une augmentation de 32% des naissances illégitimes au cours des 10 dernières années chez les mères de 16 à 19 ans. Les mères adolescentes présentent de graves problèmes

---

6. Voir à ce sujet notre article intitulé «Sexualité: plaidoyer pour les jeunes», *Québec Science*, mai 1975.

de divers ordres: sociaux, économiques, psychologiques et médicaux. Une moyenne de 50 à 90% des adolescentes abandonnent l'école lorsqu'elles sont enceintes. Les ménages d'adolescents ont un niveau économique bas. De plus, tous les obstétriciens sont d'accord pour signaler une augmentation des complications chez les mères adolescentes âgées de moins de 16 ans. »

Ceci dit, même la contraception libre et gratuite, théoriquement et pratiquement accessible à toutes les femmes, n'est pas encore vraiment la panacée. Il serait en effet étonnant que nous aboutissions à une contraception au masculin, que la pilule pour homme devienne monnaie courante. Qu'on songe seulement à ce moyen radical de contraception qu'est la stérilisation: il s'est pratiqué au Québec, en 1974, 26 000 ligatures des trompes (en très forte augmentation depuis quatre ans) et 8 000 vasectomies (en forte diminution depuis le sommet de 1972, année au cours de laquelle il s'en était pratiqué 15 000)[7]. Et nous ne parlons pas des hystérectomies, des ablations de l'utérus auxquelles les femmes ont aussi recours comme moyen de contraception. Comme le résume Danyelle Thibault, du Conseil du statut de la femme: « Le manque de services préventifs de contraception ne contrecarre pas totalement le contrôle des naissances, mais il oblige les femmes et les couples à recourir à des moyens draconiens comme la stérilisation, ou traumatisants comme l'avortement[8]. »

Et puisque c'est sans doute « dans leur ventre »

---

7. QUÉBEC, Régie de l'assurance-maladie, *Statistiques annuelle 1974*, p. 75.
8. THIBAULT, Danyelle, *Contrôle de la fécondité*, document préparé pour Carrefour 75.

que les femmes ont le plus mal et «de leur ventre» qu'elles sont le plus expropriées par l'appareil médical, disons un mot rapide de la maternité. L'accouchement aseptisé, contrôlé, mais aussi provoqué, médicalisé à l'extrême est devenu un phénomène quasi routinier. Tellement d'ailleurs que la principale intéressée, la mère, n'a plus son mot à dire dans ce rituel dont le scénario est arrêté — et uniformisé — pour le plus grand bien de tous et, en premier lieu, pour celui du médecin et de l'institution hospitalière. Ici et là, des femmes cherchent à accoucher plus «naturellement», moins «mécaniquement» pourrait-on dire; certaines vont même jusqu'à revenir à l'accouchement à la maison. La question n'est pas simple mais une chose est claire: c'est aussi sur ce front-là que des femmes se battent pour se réapproprier leur santé, si tant est qu'en cette Belle Province comme ailleurs, il est de plus en plus difficile de mettre des enfants au monde autrement que du lundi au vendredi. Entre 9 et 5 bien sûr.

Engrossée, accouchée ou avortée par des hommes pour les fins d'une société d'hommes, la femme est aussi «soignée» par les hommes. Et des services, elle en reçoit en abondance. Selon les statistiques de la Régie de l'assurance-maladie du Québec, la RAMQ, chaque Québécoise a consommé, en 1974, une moyenne de 7,96 services médicaux, alors que chaque Québécois n'en a consommé que 5,34. Ce qui bien sûr s'est reflété sur le coût per capita des services consommés dans l'année: $71 chez les premières et $48 chez les seconds. Selon une étude effectuée par deux économistes de la RAMQ, Richard David et Daniel Larouche, les Québécoises avaient eu au moins un contact avec un médecin durant l'année observée dans une proportion de 73,2%; en comparaison, ce n'est que 64,6% des Québécois qui étaient dans le même cas [9]. L'écart entre les taux de participation masculin et féminin était toutefois bien plus net si l'on s'en tenait à la population active, et en particulier aux groupes d'âge allant de 25 à 64 ans; dans ces groupes, les taux féminins tournaient autour des 80%, alors que les taux masculins augmentaient tranquillement avec l'âge, passant de 60 à 70% environ. Toujours selon cette même étude de la RAMQ, les «gros consommateurs» de services médicaux se trouvaient plutôt du côté des femmes que de celui des hommes. Presque la moitié de celles-là (49%) avait consommé 3 services médicaux ou plus dans l'année, comparativement à 37% de ceux-ci. Plus haut dans l'échelle, 1 Québécoise sur 6 avait consommé 10 services médicaux ou plus, contre 1 Québécois sur 10.

La femme, dit-on souvent, est une plus grande consommatrice de médicaments que l'homme. Mises à part «la pilule» et la chanson sur «les croqueuses de 222», les données sur ce phénomène ne fourmillent pas. On peut cependant trouver quelques indications sur la question dans les statistiques annuelles de la Régie de l'assurance-maladie du Québec qui assure la gratuité des médicaments pour certaines catégories de la population, comme par exemple les assistés sociaux. En 1974, le nombre de prescriptions payées par bénéficiaire de l'aide sociale a été de 7,6 chez les hommes (pour un coût per capita de $36) et de 12,1 chez les femmes (pour un coût de $54). Dans le groupe d'âge des 45 à 64 ans, chaque femme assistée sociale a même consommé, en cette même et seule année 1974, une moyenne de 21,2 prescriptions. Il est à remarquer que chez les hom-

---

9. QUÉBEC, Régie de l'assurance-maladie, *Un tour d'horizon: la consommation des services médicaux en 1971-72*, juillet 1975.

mes comme chez les femmes, ce sont les médicaments du système nerveux central qui représentent la classe de produits les plus prescrits : 28,2% chez les hommes et 32,5% chez les femmes. Il faut insister tout de même ici sur le fait que les données qui viennent d'être présentées doivent être considérées comme des indications seulement, puisqu'elles ne portent que sur une catégorie bien délimitée et bien particulière de la population.

Pour en revenir à des chiffres d'ensemble toutefois, il est intéressant de relever que la femme consomme nettement plus de soins psychiatriques que l'homme. Toujours selon les statistiques de la RAMQ en effet, les Québécoises ont consommé, en 1974, presque les deux tiers des soins payés par la Régie dans ce domaine. Si l'on fait exception de l'alcoolisme, où les hommes l'emportent haut le coude sur les femmes, celles-ci apparaissent comme les cibles de choix de la psychose et de la névrose. Notons que plus de la moitié des soins psychiatriques dispensés au Québec le sont à des femmes appartenant à la population active, soit celles des groupes d'âge de 15 à 64 ans.

Mais peut-être est-ce dans le domaine de la chirurgie que les femmes sont le plus souvent victimes de l'appareil médical en place, de cette médecine d'hommes qui parfois les traite, elles et leur corps, avec dédain, voire avec mépris. « L'attitude du corps médical n'est finalement pas très rassurante, écrit Danyelle Thibault. Dans la majorité des cas, la femme qu'on endort pour biopsie doit envisager de se réveiller avec un sein en moins si la tumeur se révèle maligne. Pourtant, quelle opération est plus traumatisante que celle-là[10] ? » On sait par ailleurs

10. THIBAULT, Danyelle, *La femme et la santé,* document préparé pour Carrefour 75.

avec quelle déconcertante facilité tombent les utérus par les temps qui courent. Que toutes ces interventions soient entièrement justifiées et parfaitement inévitables est chose douteuse; même des observateurs plutôt pondérés dans leurs jugements ont admis devant nous que la situation a de quoi étonner, voire indigner.

D'un autre côté, une étude du ministère des Affaires sociales sur quelques actes chirurgicaux parmi les plus fréquents fixe le «volume annuel moyen» d'hystérectomies à 19 500 pour les années 1971 à 1974[11]. Au terme d'un savant calcul sur la probabilité cumulée d'absence de tel ou tel organe, cette étude a montré qu'au Québec, si les taux actuels se maintiennent, 1 femme sur 4 n'aura probablement plus d'utérus à l'âge de 45 ans; à 65 ans, la proportion sera de 2 femmes sur 5. Le calcul se fonde sur l'application, à une population initiale de 100 000 personnes naissantes, des taux de décès et d'interventions chirurgicales spécifiques à chaque classe d'âge de 5 ans; dans l'exemple que nous venons de citer, on calcule de cette manière que sur 100 000 femmes qui naissent, 94 757 atteignent l'âge de 45 ans et que parmi elles, 23 209 n'ont plus d'utérus à cet âge.

Cette étude du MAS en dit également très long sur l'inégalité de «chances» des femmes par rapport aux hommes devant le bistouri. Le même genre de calcul de probabilité a en effet été appliqué à des types d'interventions chirurgicales que les deux sexes sont susceptibles de subir. Les résultats laissent songeur. À 45 ans, il est probable que 21% des femmes

---

11. Données non publiées du ministère des Affaires sociales, direction de la planification des services de santé, et de la Régie de l'assurance-maladie, service de la recherche et des statistiques.

n'aient plus de vésicule biliaire, contre 5% des hommes; à 65 ans, la proportion grimpe à 39% chez les femmes et à 16% seulement chez les hommes. Même chose côté appendice: à 45 ans, 8% des hommes risquent probablement de l'avoir perdu, contre 29% des femmes; à 65 ans, les chiffres seront de 13% et de 39% respectivement. Nous le disions: de quoi rester songeur. D'autant plus que dans les trois cas retenus (hystérectomie, cholécystectomie et appendicectomie), la proportion des femmes de 65 ans qui auront probablement perdu les organes en question est toujours sensiblement la même: 40%. Est-ce que ce sont les mêmes personnes qui composent cette proportion dans ces trois cas? Rien ne le dit explicitement. Mais on ne peut pas s'empêcher d'évoquer cette bonne vieille technique du quant-à-ouvrir-on-enlève-tout...

Dernier ordre de problèmes, avec lequel nous touchons sans doute le fond du fond de l'inégalité dans l'inégalité: la santé de la femme au travail. Disons de suite que dans l'entreprise, travailleuses et travailleurs font face aux mêmes conditions de salubrité, aux mêmes risques d'accidents, aux mêmes problèmes d'organisation du travail, en un mot, aux mêmes dangers. À travail égal, mauvaise santé égale, pourrait-on dire avec un grincement de dents. L'approche développée dans le chapitre précédent s'applique donc aussi, cela va de soi, aux femmes au travail. Il faut toutefois noter qu'une forte proportion des trois quarts de million de Québécoises qui travaillent occupent des emplois subalternes, donc plutôt durs pour leur santé physique et psychique: travail routinier et inintéressant dans bien des cas, environnement dégradé par le bruit, l'humidité, la poussière. À cela s'ajoute le fait que le salaire horaire moyen des femmes est inférieur à celui des hommes, qu'elles sont peu syndiquées, que leurs emplois sont moins stables que ceux de leurs compagnons. Là où pourtant leur situation devient véritablement particulière, c'est quand elles entreprennent, de retour à la maison, leur deuxième journée de travail. En terme de santé, de santé globale, c'est catastrophique : manque de sommeil, fatigue accumulée, tension nerveuse, surmenage et le reste... Quand ça ne craque pas à 35 ou 40 ans, ça tient quasiment du miracle !

L'Année internationale de la femme — et l'on a même commandité une recherche pour s'en persuader — n'a pas changé grand-chose à la situation concrète des femmes, apprend-on d'un côté. En matière de santé au travail, dit d'un autre côté le médecin-hygiéniste québécois Gilles Thériault, « l'heure n'est pas encore aux solutions »...

Il y a décidément des lendemains qui, pour certaines catégories sociales, ne chantent pas très fort sur cette terre. La plupart des femmes au travail vous le diront.

5.
LES
POINTS CHAUDS
DU DOSSIER SANTÉ

Maladies du cœur et du système circulatoire. Cancers, encore et encore. Accidents, de la route surtout.

Chlorure de vinyle, poussière d'amiante, gaz toxiques à pleins poumons. À pleine journée. Bruit. Chaleur. Froid. Horaires harassants, cadences exténuantes. Législation inexistante. Ou pas appliquée. Ou pas respectée. Chantage à la fermeture. Au lock-out sanitaire. Fermé pour raisons de santé.

Ouvert pour raison de profit.

Devinette: quelle est la différence entre un mineur et le président de l'Asbestos Corporation? Élémentaire: le mineur, c'est celui qui a l'amiantose.

Inégalités criantes devant la santé. Être travailleur, être femme, être Indien. Naître dans l'Est et y mourir — plus jeune que dans les beaux quartiers...

Les grandes données statistiques et l'examen de certaines situations d'inégalité nous ont permis de dresser en bonne partie le bilan de santé des Québécois. Pour le compléter, nous utiliserons maintenant une approche axée sur un certain nombre de problèmes de santé que nous devons affronter en tant que collectivité. Non pas que ces problèmes ne révèlent pas, eux aussi, d'autres situations d'inégalité ou n'influencent pas les grandes statistiques sanitaires du pays: leur dimension sociale et leur forte incidence sont au contraire très souvent évidentes. Mais l'identification de ces grands problèmes de santé — qui ne sont d'ailleurs pas nécessairement spécifiques aux Québécois — nous est apparue comme un bon moyen de préciser le portrait global que nous essayons de tracer. En le nuançant. Et en le contrastant.

LA SURCONSOMMATION
DES AUTO-POLLUANTS LICITES

Médicaments, tabac, alcool. Que celui qui n'a jamais abusé de l'un ou l'autre des éléments de cette banale trinité me paye le premier verre — je ne fume plus et me médicamente fort rarement. Car ces trois catégories de drogues tout ce qu'il y a de plus licites, dont l'usage est de surcroît largement répandu et très souvent valorisé du point de vue social, sont responsables d'une incroyable litanie de méfaits en tous genres et de tous ordres, allant de la simple dépendance psychologique à la déchéance physique et mentale et à la mort[1]. Le coût social et le coût économique de ces toxicomanies paraissent disproportionnés et sont effectivement assez ahurissants, d'autant plus que la tendance, sauf peut-être dans le cas du tabac mais de façon limitée, est généralement à la

1. Sur ces trois questions, on se reportera à trois dossiers publiés par *Québec Science*: VILLEDIEU, Yanick, «Médicaments: un régime de drogués», mars 1975; PROVOST, Gilles, «La meilleure façon de tuer un homme ou: le dossier noir de la cigarette», septembre 1976; VILLEDIEU, Y., «Démédicaliser l'alcoolisme», février 1976.

hausse.

Qu'on regarde la folie du médicament. Les chiffres ont de quoi donner de véritables maux de tête. En 1970 par exemple, les Canadiens ont bouffé, pour appeler les choses par leur nom, 4,5 millions de cachets d'amphétamines et 33 tonnes de barbituriques. L'année suivante, leur consommation d'aspirine s'est élevée à 1 000 tonnes et l'on sait par ailleurs qu'il y a déjà plusieurs années, l'industrie américaine en produisait 250 millions de cachets par jour, soit un par personne. Enfants et vieillards, hommes et femmes, travailleurs et chômeurs: tous les groupes sont atteints, à des degrés divers il est vrai, de cette pharmaceutique frénésie qui bien évidemment coûte de plus en plus cher. Pour le Québec, la facture globale approchait les $200 millions en 1972, plus de deux fois le montant de 1962; calculés *per capita,* les coûts sont passés, durant cette période, de $17 à $32 par année, et devraient friser les $56 en 1980. Comme le dit un patron montréalais d'une filiale américaine, «considéré du point de vue de l'industrie, le marché du médicament double tous les cinq ou six ans».

Car c'est bien en termes de «marché» que raisonne l'industrie, et non pas vraiment en terme de santé publique. La grippe, la grippe ordinaire, «vaut» plus d'un demi-milliard de dollars par an aux États-Unis et probablement une grosse vingtaine de millions au Québec. Selon Charles Levinson, la vente du Valium et du Librium a dû rapporter quelque 2 milliards de dollars à la multinationale suisse Hoffmann-La Roche dans les dix ou douze ans qui ont suivi leur mise en marché, au début des années 60[2]. Au Québec,

---

2. LEVINSON, Charles, *Les trusts du médicaments,* 1974. Soit dit

LES POINTS CHAUDS DU DOSSIER SANTÉ

presque 40% des médicaments remboursés par la Régie de l'assurance-maladie à des assistés sociaux font partie des tranquillisants et autres médicaments du système nerveux central[3]. Quand le marché officiel d'ailleurs ne semble plus suffisant, on s'en va, pourquoi pas, sur le marché parallèle : Levinson cite des chiffres du Federal Bureau of Narcotics, selon lesquels 30% des 37 milliards de doses d'amphétamines et la moitié des 100 milliards de doses de barbituriques produites annuellement par l'industrie américaine sont détournés comme par enchantement du marché légal... Et les statistiques peuvent continuer de tomber aussi sèchement. Pour guérir ou tenter de guérir les 400 maladies que le Bon Dieu ait jamais inventées, nous avons découvert environ 800 substances pharmacologiques. Ceci n'a pas empêché les marchands de pilules de mettre sur le marché 15 000 à 25 000 préparations « différentes » quant à leurs présentations, leurs couleurs, leurs saveurs, leurs grosseurs, leurs dosages, leurs associations, leurs emballages ou leurs prix.

En termes de santé économique collective, cette pharmaceutique comédie est presque aussi catastrophique qu'un stade olympique. En termes de santé physique et mentale des individus et des groupes, la comédie en question tourne à la macabre mascarade. Un million et demi de personnes sont hospitalisées chaque année aux États-Unis à la suite de réactions défavorables aux médicaments, et trente autres millions de personnes voient leur séjour à l'hôpital se prolonger pour le même genre de raisons. Une en-

en passant, c'est cette même multinationale qui possède la tristement célèbre usine de produits chimiques de Seveso, en Italie.

3. QUÉBEC, Régie de l'assurance-maladie, *Rapport annuel 1975-1976,* p. 84.

quête menée dans un hôpital de Montréal par des chercheurs de l'Université McGill a montré que 18% des personnes hospitalisées avaient réagi défavorablement aux médicaments qu'on leur avait administrés; de ce nombre, 13,2% en sont mortes[4]. Évalués en termes de coûts à la collectivité, la seule prolongation des séjours à l'hôpital due aux médicaments entraîne probablement des déboursés de plus d'une centaine de millions de dollars par année, à l'échelle du Québec seulement. Même les médicaments les plus « inoffensifs » et les plus couramment consommés participent à la parfois tragique mascarade : les deux causes majeures d'intoxication observées dans les centres anti-poison répartis sur tout le territoire québécois sont l'aspirine et les médicaments du genre Valium et Librium.

Cette grande et sinistre bouffe médicamenteuse à laquelle nous nous livrons est révélatrice, et de façon particulièrement frappante, de notre état de « santé » collectif. Même s'ils ne tuent pas ou ne rendent pas malades comme peuvent le faire la cigarette ou l'automobile, même s'ils ne représentent pas la plus grosse partie du coût global de la maladie (qui est d'environ $3 milliards par an au Québec...), les médicaments constituent en effet une sorte de microcosme de la situation dans laquelle nous nous trouvons en matière de santé. Dans une société pathogène, aussi bien sur le plan physique que sur le plan mental, l'individu devient de plus en plus dépendant d'une série de béquilles technologiques pour se maintenir plus ou moins en état de fonctionnement. Et ces béquilles semblent à peu près faire l'affaire de tout le monde, pour toutes sortes de

4. *Le Devoir*, 18 mars 1975, p. 1.

bonnes raisons juste un petit peu entretenues, mais discrètement, par les intérêts en place.

Le médicament n'échappe bien évidemment pas à la règle. Les patients en redemandent, pour mieux s'endormir, pour mieux se réveiller, pour mieux digérer, pour moins manger, bref, pour moins boîter. Les médecins en surprescrivent, parce qu'ils ne peuvent pas ou ne savent pas faire autrement, parce que cela confirme leur image d'efficacité technique, parce qu'ils ont fait leur apprentissage à l'hôpital sur des cas la plupart du temps exceptionnellement graves, parce que leur diagnostic est flou et qu'il vaut mieux mettre le paquet, parce que pour eux comme pour leurs clients, le médicament constitue un bien commode «instrument de domination magique du monde[5]» et des problèmes qu'on y rencontre, parce que, aussi, ils y croient tout de même, au médicament (la béquille, reconnaissons-le, est la plupart du temps très bien faite) ou parce qu'on les aide à y croire (l'industrie ne dépense-t-elle pas $3 000 à $5 000 en publicité par an et par médecin?). Mais la béquille n'est que béquille: elle ne résout pas le problème à la base, elle ne répare pas la jambe et ne cherche pas à la rééduquer. C'est d'ailleurs le grand reproche que les mécréants font au médicament — et en général à ce système de maintenance de la maladie qui nous tient lieu de système de santé. Les plus acides prétendent même qu'il existe deux sortes de médicaments, les dangereux et les inutiles, comme il existerait deux sortes de médecines.

Autre aspect du problème du médicament révélateur du problème de la santé dans son ensemble: le

---

5. DUPUY, Jean-Pierre et Karsenty, Serge, *L'invasion pharmaceutique*, 1974.

fait que cet objet de consommation soit produit et vendu selon les impératifs d'une rationalité d'abord et avant tout économique. Ce qui veut dire que si la surconsommation de médicaments fait l'affaire du public ingurgiteur et des médecins prescripteurs, elle fait le bonheur financier des pharmaciens et encore plus celui des trusts... Les bénéfices sont enviables. Et la situation bloquée. En matière de médicaments, les choses vont comme elles vont en matière de santé : les solutions de fond réclameront des changements de fond sur le plan culturel, social, économique et politique.

Côté tabac maintenant, la chose prend des allures de véritable course collective à la maladie et à la mort. Cette toxicomanie, puisqu'il faut bien appeler les choses par leur nom, provoque environ 15 000 décès par année au Canada, par cancer du poumon bien sûr mais surtout, phénomène moins connu, par maladie cardio-vasculaire. Elle est, de plus, étroitement associée à toutes les formes de cancers autres que celui du poumon et aux maladies pulmonaires non cancéreuses telles la bronchite et l'emphysème, cette asphyxie progressive et insoulageable consécutive à la désagrégation du tissu pulmonaire. Ses méfaits directs, d'ailleurs, ne s'arrêtent pas là. Dans son incroyable dossier noir de la cigarette publié par *Québec Science* en septembre 1976, Gilles Provost présente les conclusions des principales études effectuées ici et là dans le monde depuis une dizaine d'années. C'est, si je puis me permettre, à en couper le souffle.

Le tabac, selon l'Organisation mondiale de la santé, est responsable d'au moins 40% des cancers, eux-mêmes responsables, on s'en souvient, de 21% des mortalités enregistrées au Québec. Selon des études effectuées auprès d'un demi-million d'Américains, l'usage du tabac diminue l'espérance de vie des fumeurs de 9 à 25% par rapport à celle des non-fumeurs, dépendant du groupe d'âge dans lequel on se trouve et de la quantité de cigarettes consommées; à 25 ans par exemple, un non-fumeur peut espérer vivre 48,6 autres années, mais une personne qui fume chaque jour plus de 40 cigarettes ne peut espérer en vivre que 40,3 autres. Une étude effectuée il y a quelques années en Grande-Bretagne a montré que 20% des fausses couches étaient dues à la cigarette et, plus près de nous, une recherche de Jacqueline Fabia, médecin et professeur à l'université Laval, a révélé que 120 bébés meurent chaque année au Québec parce que leurs mères ont fumé après leur quatrième mois de grossesse. De plus, les bébés mis au monde par des fumeuses ont un poids moyen nettement inférieur à celui des bébés mis au monde par des non-fumeuses: la différence entre les uns et les autres est de 201 grammes — ce qui est plus élevé que la différence de poids moyen observé entre les filles et les garçons à la naissance, qui est de 124 grammes. Enfin, selon une évaluation «grossièrement inférieure à la réalité» puisqu'elle ne tenait compte que des coûts directs de cette toxicomanie, le tabagisme aurait entraîné, en 1966, des dépenses d'environ $390 millions au Canada (650 millions de dollars de 1976).

Dieu merci, l'usage du tabac semble être plutôt à la baisse depuis une dizaine d'années, même si le fait que ce produit ait de moins en moins bonne presse risque de biaiser quelque peu les réponses des personnes interrogées par les enquêteurs. Ceci dit, 52% de la population québécoise âgée de plus de 15 ans fumaient en 1974, contre 55,5% en 1965, ce qui ne représente tout de même pas une amélioration fulgurante[6]. Comparativement à l'ensemble du Canada, le Québec d'ailleurs fait bien piètre figure, arrivant bon premier en ce qui a trait au pourcentage de fumeurs: 46,7% des Canadiens fument contre 52% des Québécois, comme on vient de le voir (et contre 39,8% des habitants de la Colombie-Britannique).

Cependant, cette amélioration bien lente de la situation ne doit pas masquer le fait que le tabagisme est encore une toxicomanie largement répandue, ni faire oublier qu'il reste certains points sombres au tableau: si le nombre de fumeurs habituels a diminué partout au Canada et dans pratiquement toutes les classes d'âge, entre 1966 et 1974, le nombre de fumeuses habituelles est plutôt resté stable ou a parfois augmenté durant la même période. Fait alarmant, surtout pour le Québec qui encore une fois détient la triste palme: ce sont essentiellement les adolescentes et les jeunes femmes qui se trouvent à l'origine de ce phénomène, puisque le pourcentage de fumeuses habituelles chez les 15-19 ans est passé de 23,7 à 35,9% en l'espace de dix ans, les mêmes chiffres pour les femmes âgées de 20 à 24 ans passant respectivement de 41,8 à 49%. La stabilisation qui semble se dessiner depuis 1972 dans ces augmentations est à la fois encourageante et inquiétante, si tant est qu'elle n'annonce pas encore de diminution significative du nombre de fumeuses habituelles.

Faut-il y insister? Le tabagisme est un de ces fléaux sociaux contre lesquels il faut sans doute faire plus que simplement « considérer que le danger croît avec l'usage ». Dans la lutte contre cette toxicomanie

---

6. CANADA, Ministère de la Santé nationale et du Bien-être social, *Usage du tabac au Canada de 1965 à 1974,* janvier 1976.

LES POINTS CHAUDS DU DOSSIER SANTÉ

en effet, se limiter à la seule responsabilité du fumeur risque de s'avérer insuffisant. Les intérêts économiques qui sont en jeu sont en effet énormes, même si l'on raconte que les grandes compagnies de tabac, se doutant qu'il n'y a pas de fumée sans feu, ont commencé à réorienter leurs activités commerciales. Par ailleurs, le tabagisme, comme les autres toxicomanies, a des dimensions sociales certaines. Gilles Provost rapporte que l'étude déjà citée de Jacqueline Fabia a mis en évidence un pourcentage de fumeuses significativement plus élevé chez les femmes les moins scolarisées, ce qui «confirme plusieurs études étrangères tendant à démontrer que les pauvres et les classes sociales inférieures fument davantage que les gens riches et instruits». Et Marc Renaud, sociologue à l'Université de Montréal, cite une étude du Secrétariat du ministère américain de la Santé, de l'Éducation et du Bien-être, selon laquelle le genre d'emploi occupé, les conditions de travail et les autres facteurs sociaux expliqueraient dans une large mesure 75% des facteurs de risque pour les maladies de cœur — le cholestérol, les problèmes de pression sanguine, l'usage du tabac et autres éléments n'en expliquant pour leur part que 25%[7]...

Sociale, la troisième toxicomanie retenue l'est aussi dans une très large mesure. De plus en plus en effet, la tendance est à considérer l'alcoolisme non pas comme une maladie, mais comme le symptôme, le signe révélateur de problèmes d'adaptation de l'individu à ses conditions de vie. C'est la raison

---

7. RENAUD, Marc, «On the structural Constrains to State Interventions in Health», *International Journal of Health Services,* 1975, p. 567.

pour laquelle, d'ailleurs, on en arrive à parler le plus souvent non pas « d'alcoolisme », mais de « problèmes liés à la consommation d'alcool » : problèmes au niveau de la santé physique et de la santé mentale — les plus connus et les plus facilement identifiés à l'alcoolisme lui-même — mais aussi, problèmes en matière de « santé sociale » du groupe auquel appartient le buveur.

Les problèmes de santé physique liés à l'alcool ne cessent d'augmenter. De 1965 à 1973, le nombre de décès attribués à la cirrhose du foie au Canada est passé de 1 248 à 2 508, une augmentation de plus de 100%. Les décès par cirrhose directement imputée à l'alcool ont augmenté pour leur part de plus de 186% durant la même période de huit ans, passant de 378 à 1 082 — chiffre qui d'ailleurs ne pourrait bien refléter qu'une partie de la réalité seulement, puisque selon la Commission LeDain, 65 à 90% des cirrhoses du foie seraient d'origine alcoolique dans certaines parties de l'Amérique du Nord. Le taux de mortalité par cirrhose est plus élevé chez les hommes que chez les femmes, mais la tendance est la même pour les deux sexes : le taux de mortalité par cirrhose alcoolique est passé, entre 1965 et 1973, de 6,3 à 11,7 pour 100 000 hommes, et de 1,9 à 4,3 pour 100 000 femmes.

La cirrhose n'est cependant pas la seule affection du système digestif qui puisse être provoquée par l'abus d'alcool. La dégénérescence graisseuse du foie (qui peut doubler de volume) et l'hépatite alcoolique constituent en quelque sorte les deux premiers stades de la cirrhose. L'œsophagite, la gastrite, la diarrhée chronique et la pancréatite, qui est au pancréas ce que la cirrhose est au foie, constituent autant de problèmes de santé physique imputables à l'alcool. Plus globalement d'ailleurs, le buveur commence en général par souffrir de dénutrition et, par voie de conséquence, d'avitaminose (vitamine B notamment, dont le manque provoque la polynévrite alcoolique). L'alcool peut aussi contribuer aux maladies cardiaques et aux cancers de l'œsophage, de la bouche, du pharynx et du foie. La pneumonie et la tuberculose sont également des maladies fréquemment associées à l'alcoolisme. Si les causes principales de tuberculose résident dans les conditions de vie du malade (logements surpeuplés et insalubres, mauvaise alimentation, etc), l'alcoolisme, qui peut avoir le même genre de causes, contribue à créer un terrain plus favorable encore à l'affection.

Tous les alcooliques, cependant, ne sont pas aussi gravement atteints par des problèmes de santé physique que ne le laisse imaginer l'énumération qui précède. «Dans 95% des cas, dit un médecin du département d'alcoologie et de toxicomanie de l'hôpital Saint-François d'Assise à Québec, Guy Marcoux, il suffira d'une semaine de bonne alimentation et de repos, avec réhydratation et revitaminisation, pour remettre *physiquement* sur pied l'alcoolique que nous avons à traiter. Les complications plus graves ne se présentent que dans 5% des cas environ.»

Ce que vient d'ailleurs confirmer une méthode de calcul permettant d'évaluer le nombre réel d'alcooliques dans une population. Fondée sur le nombre de décès par cirrhose du foie (appliquée au Québec, cette formule, dite formule de Jellinek, donne un minimum de 125 000 alcooliques), elle a été relativisée par Mulford selon qui 5% des alcooliques ainsi dénombrés seraient «très détériorés», 20% «détériorés» et 75% des «buveurs-problèmes» seulement.

Et c'est certainement parmi les cas graves d'alcoolisme qu'il convient de ranger les buveurs chez qui l'alcool a entraîné des problèmes de santé mentale:

désorientation, rigidité des membres et réflexes incontrôlables, obnubilation de la conscience, perte de mémoire, hallucinations, sont les symptômes les plus fréquents de ces troubles d'ordre neurologique et psychologique. Les plus répandues de ces maladies sont l'hallucinose alcoolique et le delirium tremens. Il faut leur ajouter les cas, rares il est vrai, de maladie de Wernicke (troubles de la démarche et de l'équilibre), de psychose de Korsakov (diminution de l'intelligence et perte de la mémoire récente) ou de maladie de Marchiafava (état démentiel et troubles neuromusculaires). Le fait que 17% des premières admissions et des réadmissions dans les institutions psychiatriques canadiennes aient été imputées à l'alcool, en 1972, donne une idée de l'importance des problèmes de santé mentale qu'il occasionne.

Quant aux problèmes de santé sociale auxquels il est associé, ils sont considérables. L'alcool est bien sûr directement responsable de bon nombre d'accidents de la route (la moitié des conducteurs tués dans ces accidents automobiles sont sous l'effet de l'alcool). De toutes les drogues, il est celle qui est le plus fortement et le plus fréquemment associée à la délinquance et au crime (il est en cause dans 35% des homicides commis au Canada entre 1961 et 1970, ainsi que dans 29% ou plus des viols). Les alcooliques auraient par ailleurs tendance à se suicider dans une proportion plus grande que les non-alcooliques. Socialement, l'alcool a aussi une incidence plus ou moins forte sur les problèmes familiaux et sur l'absentéisme au travail.

Si bien qu'une fois tout additionné, problèmes de santé physique et de santé mentale comme problèmes sociaux, le coût global des conséquences de l'usage et de l'abus d'alcool au Canada serait d'au moins un milliard de dollars par année, dont plus du tiers pour les seuls programmes de santé et de bien-être. Si l'on se fie pourtant à un calcul américain portant sur l'année 1971 et évaluant à 25 milliards de dollars le coût des problèmes reliés à l'alcool, il faudrait peut-être monter le chiffre canadien à 2,5 milliards par année. Et le chiffre québécois à plus de $750 millions.

Le plus alarmant pourtant, quand on parle d'alcoolisme, c'est que la tendance semble être nettement à la hausse, notamment chez les jeunes. Les données ne sont pas toujours disponibles pour bien mesurer cette hausse, mais les praticiens sont tous d'accord sur ce fait. De plus, même s'il ne faut pas confondre consommation totale d'alcool par une population et alcoolisme, le fait que le nombre de buveurs et que la consommation totale augmentent depuis les dernières années n'a tout de même pas de quoi rassurer.

Selon un rapport publié en 1973[8], la proportion de Canadiens adultes qui boivent plus ou moins régulièrement est passée de 67% en 1950 à 80% en 1968. Cette tendance a été observée chez les deux sexes, la proportion de buveurs étant passée durant cette période de 79 à 86% et celle de buveuses de 56 à 75%. Dans le groupe d'âge des 21-29 ans, hommes et femmes réunis, la proportion de buveurs était de 92% en 1968, contre 67% moins de 20 ans auparavant. Toujours selon le même rapport, la consommation d'alcool pur (l'alcool réel contenu dans les différentes catégories de boissons consommées) avait augmenté de plus de 25% entre 1950 et 1970 au Canada, passant de 9,32 litres par an et par buveur de

8. *La bière, le vin et les spiritueux: leurs caractéristiques et les politiques gouvernementales au Canada*, 1973.

plus de 15 ans, à 11,74 litres. Exception faite des cas tout à fait excessifs du Yukon et des Territoires du Nord-Ouest, le Québec se classait en 1970 en cinquième position pour sa consommation d'alcool. Avec une moyenne de 8,64 litres par adulte de plus de 15 ans (buveur ou non-buveur), il était devancé par la Colombie-Britannique (11,24), l'Ontario (10,01), l'Alberta (9,92) et le Manitoba (9,46); calculée de cette façon, la moyenne canadienne était, cette année-là, de 9,37 litres. Le Québec toutefois — réputation oblige — se classait en tête des buveurs de bière au Canada.

Tels sont donc, rapidement présentés, les principales conséquences de ce qui apparaît comme l'un des plus importants problèmes de santé, au Québec comme dans la plupart des autres pays développés: les toxicomanies licites, les toxicomanies légalement, culturellement et socialement permises d'une part, et économiquement encouragées d'une autre part. Notre actuel système de « santé », tourné qu'il est vers le curatif et le technologique, peut-il revendiquer à lui seul la responsabilité de s'attaquer à ces maladies qui, tout compte fait, n'en sont pas à proprement parler? Plusieurs déjà en doutent, dont parfois même certains médecins...

LA NUTRITION

« Le client-type des médecins québécois? En caricaturant à peine, on peut le décrire ainsi: une femme de 40 ans, obèse et constipée. » C'est un médecin, Jacques Baillargeon, directeur du département de gastro-entérologie de l'Université de Montréal, qui dit ces mots. Et les causes, d'ajouter le spécialiste, sont pratiquement toujours les mêmes: un régime alimentaire trop riche en viandes, en pommes de terre, en pâtes, en hydrates de carbones, et trop pauvre en résidus; le style de vie sédentaire «d'un peuple assis devant sa télévision» dont il subit de plus «le bombardement publicitaire». Et les solutions immédiates passent toujours à peu près par les mêmes voies: apprendre aux gens à manger bien; leur montrer que les tartes au sucre et les fèves au lard avaient peut-être leur utilité pour nos grands-parents quand ils s'en allaient travailler dur aux champs ou dans le bois, mais qu'elles peuvent être devenues néfastes étant donné nos conditions de vie; leur apprendre à changer la qualité de leur alimentation, à adopter des régimes riches en résidus, à réussir une vinaigrette...

Les problèmes reliés à la nutrition constituent eux aussi d'importants problèmes de santé pour les Québécois. Non pas tellement qu'il y ait sous-alimentation — quoiqu'on rencontre, selon Jacques Baillargeon, des cas de scorbut à Montréal, en 1976! Mais il y a, et de façon presque générale, mauvaise alimentation, mauvaises habitudes alimentaires. Avec pour résultat qu'en notre civilisation du Coke, des patates *chips* et de la viande avariée, la moitié de la population fait de l'embonpoint avancé ou de l'obésité, c'est-à-dire dépasse son poids normal de 15% et plus. Telle est du moins l'une des principales constatations tirées d'une enquête effectuée à Québec en 1972 sous la direction de Micheline Beaudry-Darismé, du Centre de recherche en nutrition de l'université Laval. Selon cette enquête encore, l'obésité était un problème principalement féminin, 43% des femmes accusant un poids un quart plus haut que la normale, contre 16% des hommes; dans le groupe des femmes de 45 ans et plus, la proportion d'obèses atteignait même les 54%. L'enquête montrait par ailleurs que la fréquence de l'obésité diminue à mesure qu'augmentent le niveau de scolarité et le niveau de connaissances en nutrition; que les sujets des milieux défavorisés ont plus souvent des connaissances pauvres en nutrition et une alimentation pauvre que ceux des milieux favorisés; et que les populations des milieux défavorisés ont plus de difficulté à atteindre les taux de vitamines C et A, de calcium et, chez les femmes, de fer. Tous ces chiffres paraîtront peut-être énormes. Ils sont pourtant confirmés, de façon indirecte, par des données produites par la Régie de l'assurance-maladie du Québec, selon laquelle 85 400 personnes s'étaient fait soigner pour obésité en 1974, dont presque 58 000 femmes.

Mais il y a encore d'autres problèmes de santé reliés à nos habitudes nutritionnelles, en commençant par les problèmes qu'entraînent les abus d'alcool ou, plus simplement, l'habitude quotidienne et tranquille de la consommation d'alcool. Selon Jacques Baillargeon par exemple, la caféine est l'un des ennemis les plus sous-estimés, d'autant plus qu'on la retrouve dans le thé et dans nombre de boissons gazeuses. Chose plus grave, et même les cafés «décaféinés» sont alors de la partie, les substances activant la sécrétion gastrique (acide) semblent plus redoutables que la caféine elle-même, provoquant des symptômes d'ulcères et même des ulcères comme tels. Par ailleurs, toujours selon Jacques Baillargeon, les diètes trop pauvres en résidus, en plus de contribuer à des problèmes de constipation — un extraordinaire marché de $1,5 milliard par an aux États-Unis, soit dit en passant —, pourraient bien être à l'origine d'une affection appelée diverticulose du côlon; souvent asymptomatique, cette formation de pochettes

LES POINTS CHAUDS DU DOSSIER SANTÉ

sur les parois de l'intestin toucherait, selon certaines estimations, 50% environ des Nord-Américains de plus de 50 ans.

Encore une fois, les chiffres paraissent gros. Mais il faut se rendre compte que nous touchons, avec les habitudes nutritionnelles, à l'une des cordes les plus sensibles de notre culture, à l'une des racines les plus profondes de notre civilisation. Et à l'un des piliers les plus solides de notre système et du complexe agro-alimentaire qui le soutient[9]. Des initiatives comme celles du Conseil scolaire de l'île de Montréal, qui consacrera en 1976-77 la somme de $2 millions pour promouvoir des habitudes alimentaires saines auprès des jeunes clients des cafétérias scolaires, des initiatives de ce genre sont fort rares et éminemment louables. Mais peuvent-elles faire le poids face au matraquage publicitaire qu'impose aux mêmes enfants, dès leur retour à la maison, une télévision vendue aux fabricants de boissons gazeuses et de bière, de sucreries et de pizzas? On préfère répondre par une ellipse à une question de ce genre, en reprenant cette phrase du grand nutrionniste français Jean Trémolières au colloque de la revue *Critère*[10]: «On parle de maladies de civilisation, disait-il. Mais si nous avions la chance de vivre dans une civilisation, nous n'en aurions pas, de maladies...»

9. SERGENT, J.P., «Le chantage aux protéines», *Science et Vie*, octobre 1975.
10. En juin 1976, quelques semaines à peine avant sa disparition.

DEMAIN LA SANTÉ

LA SANTÉ DENTAIRE

En 1972, les cliniques d'été de la Faculté de médecine dentaire de l'Université de Montréal se sont donné l'objectif de restaurer l'état dentaire d'un groupe de 366 adolescents. L'objectif a été atteint, moyennant le travail de 66 étudiants en médecine et en hygiène dentaires durant 9 semaines. Les besoins des jeunes patients étaient tels que le coût des soins en cabinet privé se serait chiffré en moyenne à $261 par individu, les coûts minimum et maximum étant respectivement de $70 et de $609[11]...

L'état de santé bucco-dentaire des Québécois — cette anecdote pas très drôle le montre bien — n'est en effet pas vraiment brillant. La seule étude d'envergure dont nous disposions dans ce domaine le confirme clairement. Effectuée en 1968 (mais encore d'actualité, nous affirme-t-on) par Paul Simard et Jean-Paul Lussier, de l'université Laval et de l'Université de Montréal respectivement, cette étude[12] avait permis de rejoindre pratiquement 30% des dentistes omnipraticiens québécois et d'identifier les besoins des personnes qui les consultent, selon une méthodologie calquée sur celle qu'avait utilisée une enquête américaine de 1965. Grande conclusion de notre enquête: dans presque toutes les catégories de soins (obturations, extractions, couronnes, ponts, prothèses, troubles péridentaires, etc), les besoins notés par les dentistes québécois sont *au moins* deux

---

11. QUÉBEC, Ministère des Affaires sociales, *Dossier technique sur la fluoration*, Québec, juin 1974, 159 p.
12. SIMARD, Paul et LUSSIER, J.P., «Les soins dentaires au Québec», *Journal de l'Association dentaire canadienne*, juillet et décembre 1970.

fois plus importants que les besoins notés par leurs confrères américains. Chaque Québécois, notait par exemple l'enquête, avait en moyenne, au moment de venir consulter un dentiste, 5,1 obturations à faire effectuer. Chez les hommes, on avait besoin en moyenne de 2,1 extractions (1,4 chez les femmes). Par ailleurs, 14% des hommes et 11% des femmes avaient besoin d'une confection ou d'une réfection d'une ou deux prothèses complètes, ce qui n'inclut donc pas les personnes édentées satisfaites de celles qu'elles portaient à ce moment.

Autre grande constatation de l'enquête Simard-Lussier: les personnes dont la scolarisation et le revenu sont les plus élevés fréquentent davantage le dentiste et le font plus régulièrement que les autres personnes, moins bien nanties; de façon générale, les anglophones ont plus souvent recours aux services dentaires que les francophones. Par exemple, 9,1% des francophones en étaient à leur première visite chez le dentiste au moment de l'enquête, contre 3,9% des anglophones. Dans le même veine, 24,2% des personnes ayant moins de 5 ans de scolarité étaient dans cette situation, contre 3,7% de celles qui en avaient plus de 12. Enfin, 27% des personnes gagnant moins de $2 000 n'étaient jamais allées chez le dentiste, contre 4,2% des personnes gagnant plus de $10 000.

Phénomène pas très réjouissant: les jeunes n'échappent pas, loin de là, à ce mini-fléau. Certaines évaluations avancent même que 85 à 99% des Québécois âgés de 5 à 13 ans seraient atteints par la carie. Les indices CEO (dents Cariées, Extraites et Obturées; indice calculé pour la dentition primaire) et CAO (Cariées, Absentes et Obturées; calculé pour la dentition permanente) sont des façons simples de mesurer l'état de santé dentaire d'une population, puisqu'ils font le décompte des dents touchées. Des relevés effectués à Montréal auprès d'enfants d'âge scolaire il y a une dizaine d'années ont montré que les enfants de six ans comptent en moyenne 11 dents cariées, 9 primaires et 2 permanentes. Ou que chez les enfants de 13 ans, on dénombre en moyenne 14 dents permanentes cariées, extraites ou obturées. Moins loin dans le temps, des compilations du Centre de recherches sur la croissance de l'Université de Montréal en amènent le directeur, A. Demirjian, à parler d'un taux de carie «très élevé, même alarmant, pour la population d'enfants d'âge scolaire de Montréal[13]». Selon le chercheur, les études du Centre «montrent un problème majeur de santé dentaire. Un fort pourcentage d'enfants manquent d'hygiène buccale, souffrent de caries à un degré inquiétant, n'ont pas assez de dents traitées et se nourrissent de façon à favoriser la carie dentaire.»

Car cette étude mettait de plus en lumière le lien existant entre habitudes alimentaires et santé dentaire. La fréquence des repas et des collations et la quantité de glucides absorbés sont en corrélation claire et directe avec le nombre de caries dentaires dont sont atteints les enfants : mamans-bonbons et papas-gâteau, méfiez-vous! Liée aussi à l'hygiène buccale générale, la santé dentaire est enfin associée aux apports en fluorures dont bénéficie ou non l'enfant bien sûr, mais aussi l'adulte. La fluoration de l'eau — nous ne parlerons ici que de l'aspect santé dentaire de cette question tout de même complexe — permet de réduire d'environ 60% le taux de caries

13. DEMIRJIAN, A., «La nutrition et la santé des dents de l'enfant québécois», *Annales de l'ACFAS,* vol. 40, supplément 1973.

dentaires chez les sujets qui y sont exposés.

Campagnes d'éducation auprès des écoliers, gratuité des soins dentaires pour les enfants de dix ans et moins assumée par la Régie de l'assurance-maladie du Québec, fluoration des eaux: autant de mesures qui peuvent contribuer à remonter, de façon plus ou moins rapide et significative, l'état de santé dentaire de la population québécoise. Mais qui ne doivent pas pour autant servir à masquer les problèmes, parfois considérables, qui subsistent encore: coûts souvent prohibitifs des soins, relative pénurie et mauvaise répartition territoriale des dentistes, habitudes alimentaires néfastes difficilement déracinables car trop massivement publicisées, etc. En attendant des jours meilleurs, peut-être devons-nous nous faire à l'idée de compter parmi les peuples les plus édentés du monde occidental. Et aussi parmi les plus jeunes édentés [14].

LES MALADIES INFECTIEUSES ET LES MTS

Qu'elles soient contagieuses ou pas, transmissibles ou résolument «personnelles», les maladies infectieuses se présentent comme les grandes victimes de la médecine moderne et de son arsenal de vaccins, de plasmas et d'antibiotiques. Et la chose est bien vraie: même dans le cas de la grippe porcine, le

---

14. Voir notamment à ce sujet: FOREST, Denis, DUQUETTE, P. et BÉIQUE, Claude, *Étude épidémiologique sur la santé buccodentaire d'une population de personnes totalement édentées du Québec*, 1976.

problème se limite à une vulgaire course de vitesse, à une partie de cache-cache, au jeu du chat et de la souris. Mais variole, coqueluche, rubéole, scarlatine, diphtérie, rougeole, varicelle, oreillons font désormais partie des épouvantails d'un autre siècle, ou en tout cas d'une autre génération. L'affaire est entendue et la question réglée. «Les maladies infectieuses sont maintenant sous contrôle, dit Thérèse Fortier, du Département de santé communautaire du Centre hospitalier de l'université Laval. Les anciennes unités sanitaires en avaient fait leur cheval de bataille, et ce que nous devons faire aujourd'hui, c'est rester vigilants, maintenir les niveaux atteints.»

À lui seul il est vrai, cet objectif de maintien des niveaux atteints n'est pas une sinécure, notamment dans le cas des maladies les plus bénignes. Si la «surveillance» est relâchée, la méfiance de la population s'endort. On oublie de faire vacciner le petit dernier, ou de lui faire donner une injection de rappel. Québec et Ottawa sont d'accord — tout peut arriver sur cette terre — pour souligner que nous aurions par exemple encore un bon bout de chemin à parcourir côté rubéole et rougeole, deux maladies somme toute bénignes qui pourtant peuvent avoir d'importantes conséquences sur leurs victimes: nous traitons 20 fois plus de cas de rougeole et 10 fois plus de cas de rubéole que nous n'en prévenons, souligne le ministère canadien de la Santé; le niveau d'immunisation contre la rubéole atteint tout juste les 50 ou 55%, signale le service des maladies infectieuses du ministère québécois des Affaires sociales, et il n'y a pas de raison pour ne pas atteindre des taux de 85 ou 90%.

Dans l'ensemble, les choses ne vont donc pas si mal et l'on pourrait se demander pourquoi ressusciter une affaire classée et la présenter comme un

LES POINTS CHAUDS DU DOSSIER SANTÉ

point chaud du dossier santé. C'est qu'il reste tout de même quelques ombres au tableau. Le fait par exemple que les niveaux *réels* d'immunisation de la population ne sont pas toujours faciles à connaître avec précision: on table sur le fait que les gens font vacciner leurs progénitures dans le secteur privé de la distribution des services de santé, mais rien ne le prouve — et rien ne prouve qu'on ne peut pas, du jour au lendemain, se réveiller devant de bien désagréables surprises. Par ailleurs, les «accidents» restent toujours possibles, et une épidémie de typhoïde tombe plus facilement sur Saint-Gabriel de Brandon que le million de la loterie sur le Canayen moyen. Il y a encore, ombre plus réelle cette fois, la tuberculose, cette maladie qu'on sait fort bien soigner mais qu'on n'est pas encore tout à fait capable d'enrayer; il est sûr qu'en ce domaine, d'immenses, d'énormes progrès ont été réalisés, et par la médecine (n'en déplaise à Illich), et par l'amélioration des conditions de vie et d'hygiène; il est sûr également que les progrès ne peuvent plus être aussi spectaculaires maintenant que les indices ont été fortement abaissés; mais il est encore plus vrai que les taux québécois de tuberculose restent supérieurs aux taux canadiens, que la mortalité par tuberculose est trois fois plus fréquente au Québec qu'en Ontario, et qu'il y a encore «quelque chose à faire» de ce côté.

Côté maladies vénériennes, la tâche est par contre énorme[15]. Et va le devenir de plus en plus face à une situation pas nécessairement alarmante, mais au moins inquiétante. Le nombre de cas de syphilis et de blennorragies augmente en effet d'année en année

---

15. Voir à ce sujet notre dossier: «Maladies vénériennes: une question d'éducation», *Québec Science*, novembre 1975.

depuis cinq ou dix ans et plusieurs autres MTS — puisqu'on parle aujourd'hui de « maladies transmises sexuellement » plutôt que de maladies vénériennes — se propagent allégrement à la surface du globe. À l'Organisation mondiale de la santé, où le problème est considéré comme des plus graves, on ne parle plus d'épidémie, mais de pandémie. Dans la plupart des pays, les administrations sanitaires déchantent : alors qu'on croyait, dans les années 50, pouvoir vaincre ces maladies séculaires grâce aux spectaculaires progrès de la médecine, on ne peut de nos jours que constater la remontée des courbes qui rejoignent ou s'apprêtent à rejoindre les tristes sommets de l'après-guerre.

Car les chiffres sont là, qui en disent beaucoup. Avec un taux de syphilis de 10,8 cas pour 100 000 habitants en 1974, le Québec était pratiquement retourné dix ans en arrière en ce domaine. La même année, l'Ontario connaissait un taux de 26,7 (son record depuis 1950) et l'ensemble du Canada, avec un taux de 16,9, battait une performance inégalée depuis 1954. Côté blennorragie (ou gonorrhée, si l'on préfère), la situation est encore plus grave. De loin plus fréquente que la syphilis, elle a fait 3 383 victimes *déclarées* au Québec en 1974 — le niveau, en termes de taux, de 1954. Mais même avec son taux de 55,2 enregistré en 1974, le Québec se trouvait encore loin derrière l'Onrario (taux de 193 : à peu près celui de 1944 ou 1945) et surtout derrière l'ensemble du Canada qui venait de dépasser, avec 215,8 cas *déclarés* de blennorragies pour 100 000 hatitants, le plus fort taux qu'il ait connu durant la poussée de l'après-guerre. Et le Québec, on l'observe depuis longtemps, suit en matière de MTS le reste du Canada avec un décalage de cinq à dix ans.

La situation est d'autant plus inquiétante que tous

ces cas *déclarés* ne sont que des minima. Le phénomène de sous-déclaration est encore important avec ces maladies ni chair ni poisson qui de plus, chez les femmes surtout, peuvent être asymptomatiques. Dans 80% des cas, il se pourrait fort bien qu'une blennorragie féminine passe complètement inaperçue, ce qui n'est pas pour aider à son dépistage ni pour contrer sa propagation. Chez les hommes d'ailleurs, cette même maladie pourrait être asymptomatique dans 20% des cas. À tel point qu'il conviendrait de multiplier les statistiques officielles par 3, 4 et même 5 pour obtenir une idée assez précise de son ampleur. Dans le cas de la syphilis par contre, les chiffres officiels semblent refléter avec plus de précision la réalité, tout diagnostic de cette grave maladie devant être confirmé par des tests effectués à Montréal dans les laboratoires du ministère des Affaires sociales.

Fait à relever encore une fois: ce sont les jeunes qui sont le plus fortement touchés par ce problème de santé collectif. En 1974 par exemple, les 20-29 ans ont contracté près de la moitié des blennorragies déclarées au Québec. Les 15-19 ans ont pour leur part contracté à eux seuls près de 18% de tous les cas de cette même maladie. Ce qui d'ailleurs se traduit au niveau des taux spécifiques d'incidence de la blennorragie selon l'âge: si le taux global québécois était de 55,2 cas pour 100 000 habitants, il était de 92,5 chez les 15-19 ans, de 188,4 chez les 20-24 ans et de 118,7 chez les 25-29 ans. Proportionnellement, la syphilis semble toutefois frapper les jeunes avec moins de rigueur, même si 35% des cas de 1974 ont été rapportés chez des 20-29 ans. À noter de plus que dans tous les groupes d'âge, les hommes l'emportent, et parfois largement, sur les femmes quant au taux spécifique d'incidence de ces deux maladies, exception faite de la blennorragie chez les femmes de 15 à 19 ans.

Que les maladies transmises sexuellement — il en existe en fait plus d'une quinzaine de sortes — soient donc en passe de devenir ou de redevenir un point noir de notre dossier santé, les quelques lignes qui précèdent auront sans doute suffi à le montrer. Car même si l'on connaît, depuis plusieurs années déjà, des procédés simples et efficaces pour les guérir, les MTS font plus que jamais la nique aux antibiotiques, nécessaires mais non suffisants. L'incidence de ces maladies augmente en même temps que se développe la puissance des moyens de les combattre.

Et ce n'est pas le moindre paradoxe qu'on rencontre dans la question des MTS. Ni dans celle de la santé d'ailleurs.

LA SANTÉ MENTALE

Il serait évidemment impossible de traiter en détail, dans un cadre aussi restreint, l'ensemble du problème de la santé mentale: des chapitres entiers y suffiraient à peine. Et pourtant, nous nous retrouvons encore une fois devant un problème de santé individuelle et collective des plus importants. Tellement important, d'ailleurs, qu'on a le sentiment très fort de ne voir en fait que la pointe de l'iceberg.

Qu'on en juge en effet. Selon deux chercheurs du ministère canadien de la Santé, les maladies mentales ont occasionné, en 1971, 24 millions de journées d'hospitalisation au Canada, comparativement à 37 millions de journées causées par des affections phy-

siques, accouchements sans complications exclus[16].
« En supposant que les taux de première admission
de 1971 restent les mêmes dans les années subsé-
quentes, ajoutent de plus les chercheurs, on a calculé que 1 Canadien sur 6 (environ 16% de la population de 1971) serait admis dans un établissement de
soins psychiatriques en service interne au moins une
fois lors des années lui restant à vivre.» Dans le
même ordre d'idées d'ailleurs, des études américaines raisonnables affirment que chaque homme a
43 chances sur 100 d'être affecté durant sa vie par
un épisode au moins de maladie mentale diagnosti-
quée, la proportion montant même à 73 chances sur
100 dans le cas des femmes, note le chef du service des programmes de santé mentale du ministère
des Affaires sociales, Réal Lajoie.

Les données contenues dans une vaste étude de
Josette Laframboise, du Conseil canadien de développement social, donnent pour leur part d'intéres-
santes indications sur la morbidité non hospitalière
en matière de santé mentale[17]. Selon elle, « 56,7%
des Canadiens ont avoué s'être sentis déprimés ou
nerveux dans les derniers douze mois (l'enquête a
été réalisée en 1974); 25,1% d'entre eux disent
éprouver ces sentiments très souvent ou souvent. On
note que l'incidence de sentiments dépressifs est
plus fréquente au Québec (60,3%), où se trouve également le pourcentage le plus élevé de personnes qui
se sentent très souvent ou souvent déprimées ou
nerveuses (33,8%). »

---

16. CANADA, Ministère de la Santé nationale et du Bien-être social,
    Indicateurs de la santé pour la politique sanitaire, Canada et
    provinces, décembre 1974, p. 30.
17. LAFRAMBOISE, Josette, *Une question de besoins,* juillet 1975,
    p. 53.

DEMAIN LA SANTÉ

Même s'ils n'éclairent pas toutes les facettes de la question, les chiffres qui précèdent laissent entrevoir le degré de détérioration de notre état de santé mentale. Le fait que le suicide apparaisse lui aussi comme un problème de santé de plus en plus important vient à son tour renforcer cette image de détérioration[18]. En l'espace de 10 ans en effet, soit de 1961 à 1970, le taux de suicide pour 100 000 habitants est passé de 4,6 à 9 au Québec, une augmentation de 96%. Le taux québécois, il est vrai, comptait parmi les plus bas du Canada (la religion catholique n'était guère « permissive » en ce domaine); mais il était par contre celui qui avait connu l'augmentation la plus rapide de la décennie. Ceci dit, on se rappelle que le suicide est la deuxième cause de mortalité chez les 15-34 ans au Québec, la première cause, les accidents de véhicules à moteur, faisant à peine plus de 4 fois de victimes dans cette classe d'âge. Il a été également question du fait que, dans cette classe d'âge encore, le suicide était un problème particulièrement vif chez les hommes du Nord-Ouest et, dans une moindre mesure, chez les hommes et chez les femmes du Montréal métropolitain.

Voilà, rapidement esquissé, le portrait de notre état de santé mentale, un domaine, encore une fois, où l'on fait plus de réparation que de véritable prévention, un domaine où l'on semble condamné à toujours essayer de remonter une pente qui n'a pas de sommet. Car s'il est vrai que notre société est pathogène, s'il est vrai que le stress, la vie urbaine, la surconsommation de drogues licites, la mal-alimentation, la pollution engendrent maladie de civilisation

---

18. FATTAH, Ezzat Abdel, « Le suicide au Canada et au Québec », *Le Médecin du Québec*, septembre 1973.

sur maladie de civilisation, n'est-ce pas finalement en matière de santé mentale des individus et des collectivités que les dégâts sont les plus insidieux et les plus considérables? Et, du coup, les plus inquiétants?

LE SYSTÈME DE LUTTE CONTRE LA MALADIE

6.

LES MÉDECINS ET LES AUTRES

Par un phénomène d'expropriation qui n'est pas spécifique, loin de là, à la société québécoise, la médecine s'est emparé de la totalité du champ de la santé. Le mot de santé lui-même a été vidé de son sens pour ne plus désigner que l'état — provisoire, quasi accidentel et à la limite illégitime — de «non-maladie». De la pouponnière à l'agonie hospitalisée, en passant par les coupe-gorge de la chirurgie et les traquenards de la pharmacie, par les attrape-nigauds de la médecine générale et les chausse-trappes de la médecine spécialisée, le piège est tendu auquel nul n'échappera. Dans cet univers où chacun est, a été ou va bientôt être malade, le pathologique est à toutes fins pratiques devenu le normal. Et l'anormal, c'est le non-médical.

En termes de marketing, ce genre de phénomène a un nom: la conquête d'un marché. En termes d'économie, il a une conséquence: l'établissement d'un monopole. Aussi n'avons-nous pas encore, ici ou ailleurs dans les pays occidentaux, de véritable système de santé. Notre système de lutte contre la maladie, autrement dit l'entreprise médicale et paramédicale, en tient pour l'instant lieu et cause.

C'est donc de son côté que nous allons maintenant regarder en commençant — à tout soigneur tout honneur — par ces partenaires de tout premier plan que sont les médecins. Après tout, ne sont-ils pas « responsables », en première analyse, de la plus grosse partie du prix de la maladie, puisqu'ils génèrent, directement ou indirectement, 80 à 90% des coûts du système ?

LES MÉDECINS

Nous avons trop de médecins.

Alors que pour certains organismes comme l'Organisation mondiale de la santé ou comme le ministère fédéral de la Santé, la proportion de 1 médecin pour 650 personnes serait souhaitable en 1981, le ratio québécois serait déjà estimé, en 1976, à 1/565. À première vue, nous avons même allégrement dépassé les prévisions de la Commission Castonguay qui, dans son premier rapport paru en 1967[1], parlait d'un ratio de 1 médecin pour 760 personnes en... 1986. Tous ces chiffres, même s'il ne faut pas nécessairement toujours les prendre pour argent comptant, nous situent tout de même en bonne position sur le plan mondial : nous faisons indubitablement partie des pays les plus fortement « médicalisés ». Le fait d'ailleurs qu'au Québec, il y avait, en 1973-1974, 91 étudiants inscrits en première année de médecine par million d'habitants, indique bien que la tendance n'est pas à la baisse : les mêmes chiffres, pour la même année, étaient de 63 aux États-Unis et de 73

1. QUÉBEC, Commission d'enquête sur la santé et le Bien-être social social, *Volume I: l'assurance-maladie*, 1967.

en Ontario[2]. Selon une étude effectuée pour le compte de la Corporation professionnelle des médecins du Québec par Jean-Yves Rivard, du département d'administration de la santé de l'Université de Montréal, le nombre de médecins augmentera presque 9 fois plus vite que la population québécoise, jusqu'en 1978 du moins[3]. Au rythme joyeux où va la production, c'est à un ratio de 1 médecin pour 463 personnes que nous devrions parvenir dans moins d'une dizaine d'années, en 1985 plus précisément[4].

On se doute pourtant que ces données doivent seulement être regardées comme des indicateurs globaux. Il convient en effet d'apporter quelques nuances à cette affirmation suivant laquelle nous avons trop de médecins. À population égale par exemple, deux pays peuvent avoir des besoins sensiblement différents selon qu'ils sont géographiquement étendus ou non, selon que la population est dispersée ici et là sur le territoire ou vit dans des agglomérations densément peuplées, selon que le personnel paramédical est nombreux ou non. Dans le cas du Québec, où l'on s'accorde généralement pour admettre que nous sommes dans l'ensemble fort bien pourvus en main-d'œuvre médicale, il existe encore des régions

---

2. QUÉBEC, Ministère de l'Éducation, en collaboration avec le ministère des Affaires sociales, *Rapport de l'Opération sciences de la santé*, avril 1976. On sait que l'OSS a été lancée en 1972 pour se pencher sur le problème de la formation des professionnels de la santé par les universités québécoises.
3. RIVARD, Jean-Yves, «Les effectifs médicaux au Québec: situation actuelle et projection 1974-1978», *Bulletin de la Corporation professionnelle des médecins du Québec*, novembre 1975.
4. Rapport de l'OSS, *op. cit.*, p. 317.

et des groupes mal desservis. Et dans certains domaines ou types de pratique, les hommes de l'art ne sont pas toujours légion.

Car le portrait-robot du médecin québécois pourrait être le suivant[5] : c'est un homme, il a entre 40 et 45 ans, il pratique surtout en ville, et ce d'autant plus qu'il est de préférence spécialiste. Entrepreneur privé, il bénéficie de ce que les mauvaises langues appellent « le régime d'assurance-médecins du Québec » et il en retire bon an mal an une rémunération d'environ $50 000. Presque toujours formé dans une université québécoise et assez souvent spécialisé à l'étranger, il participe sur une base volontaire et épisodique aux rares programmes de perfectionnement, de recyclage ou d'enseignement permanent que les organismes professionnels et les universités commencent à mettre sur pied.

Masculine, la profession médicale l'est encore en écrasante proportion : 93,9% des médecins qui ont reçu des prestations de la Régie de l'assurance-maladie en 1973 étaient des hommes. Et pourtant, sans faire de paradoxes faciles, la médecine québécoise se féminise ! Tranquillement pas vite au niveau des praticiens — on est parti d'une proportion de 1% au début de ce siècle pour atteindre le seuil des 5% au début de la présente décennie — mais très rapidement par contre au niveau des étudiants admis en médecine. En 1973-1974 par exemple, près de 28% des étudiants en médecine étaient des femmes,

---

5. QUÉBEC, Régie de l'assurance-maladie du Québec, *Statistiques annuelles 1974*. Comme on le constatera à la lecture de ce chapitre et des chapitres suivants, nous puiserons de nombreuses données dans ce document, même si les références précises ne sont pas toujours mentionnées en note infrapaginale.

contre moins de 6% vingt ans auparavant[6]. En 1974 toujours, et le chiffre est encore plus révélateur, les femmes représentaient pratiquement 2 étudiants sur 5 en première année de médecine dans les universités québécoises francophones, alors que la proportion était deux fois moins forte à McGill[7]. «Si cette tendance se poursuit, écrit André-Pierre Contandriopoulos, il y aura autant de femmes que d'hommes dans les facultés de médecine dans moins de 10 ans.»

Fait à noter, que met en lumière l'étude en question: le niveau de rémunération des femmes médecins, qu'elles soient généralistes ou spécialistes, est toujours inférieur à celui des hommes. Toujours selon cette recherche, les femmes médecins consacrent à l'exercice de leur métier moins d'heures que les hommes (ce qui explique, mais en partie seulement, leur rémunération plus faible) mais leur productivité horaire n'est pas significativement différente de celle des hommes. Cantonnées en médecine générale et dans les spécialités dites médicales (par opposition notamment aux spécialités chirurgicales), elles exercent surtout dans les régions métropolitaines du Québec: ailleurs, le «vrai» médecin, c'est encore et toujours un homme. Il n'est pourtant pas sans intérêt de rappeler ici qu'en Union soviétique par exemple, les femmes représentaient 75% de la profession médicale il y a un peu plus d'une douzaine d'années.

La production massive de médecins par nos universités conjuguée à la jeunesse des diplômés qui en

6. CONTANDRIOPOULOS, André-Pierre, « L'activité professionnelle des femmes médecins au Québec», *Bulletin de la Corporation professionnelle des médecins du Québec*, janvier 1976.
7. Rapport de l'OSS, *op. cit.*, p. 300.

sortent depuis la réforme de l'éducation a pour effet de maintenir l'âge moyen des médecins québécois, notamment du côté des omnipraticiens, à un niveau relativement stable malgré le vieillissement général de la population active dans nos sociétés. En 1974, cet âge moyen était de 40,5 ans chez les omnipraticiens et de 45,9 ans chez les spécialistes, ces derniers ayant tendance à légèrement « vieillir ». Dit en d'autres mots, plus de 55% de nos omnipraticiens avaient moins de 40 ans en 1974. Cette tendance à un rajeunissement relatif des effectifs médicaux québécois devrait se faire sentir encore pendant plusieurs années, puisqu'on peut maintenant se retrouver médecin pratiquant à 23 ans (on sort du CEGEP à 18 ans, on obtient son diplôme de médecin — de MD — à 22 ans et il ne reste qu'une année d'internat à faire...) et que les étudiants semblent vouloir à nouveau accorder leurs faveurs à la pratique de la médecine générale (50,8% ont choisi cette voie en 1974, contre 31,9% en 1972[8]).

Ce qui, il faut le souligner, est un phénomène nouveau au Québec. Depuis les années 40 ou 50 en effet, la tendance à la spécialisation des effectifs médicaux avait connu une progression assez étonnante. Une progression telle que la denrée rare, depuis au moins une dizaine d'années, c'était l'omnipraticien, le non-spécialiste, le médecin « ordinaire ». Le généraliste était « un produit accidentel de notre système de formation », lit-on dans le rapport de l'Opération sciences de la santé. Mais l'instauration du régime d'assurance-maladie en 1970, la consécration du « tarif unique » (le même acte est payé au même tarif, que le praticien qui le pose soit spécialiste ou non)

---

8. Rapport de l'OSS, *op. cit.*, p. 372.

DEMAIN LA SANTÉ

Proportions de médecins
spécialistes et non-spécialistes
Québec, 1951 à 1978 (projections)

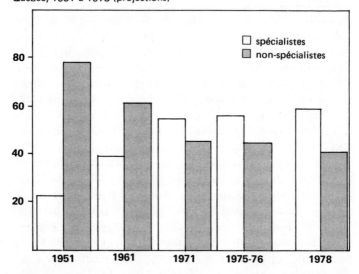

Tableau 7

Proportion de médecins spécialistes et non-spécialistes
Québec, 1951 à 1978

	1951	1961	1971	1975-76	1978
Spécialistes	22,5	39,7	54,4	54,7	58,7*
Non-spécialistes	77,5	60,3	45,6	45,3	41,3

* Ce pourcentage représente le nombre de spécialistes résidant au Québec en 1978, alors que les chiffres de 1971 et de 1976 s'appliquent aux médecins qui ont effectué au moins une demande de paiement dans l'année à la RAMQ. Les données de 1978 doivent donc être considérées comme indicatives par rapport à celles des années précédentes.

Sources: DUSSAULT, Gilles, *La profession médicale au Québec (1941-1971)*, 1974, page 16; QUÉBEC, Régie de l'assurance-maladie, *Rapport annuel 1975-1976,* page 54; RIVARD, Jean-Yves, «Les effectifs médicaux au Québec: situation actuelle et projection 1974-1978», *Bulletin de la Corporation professionnelle des médecins du Québec,* novembre 1975

et, dans une certaine mesure, la saturation du «marché», ont en partie eu pour effet de revaloriser la médecine générale au Québec. Ceci dit, et le tableau 7 résume l'aspect de cette question de la surspécialisation de la main-d'œuvre médicale, une étude comme celle de Jean-Yves Rivard prévoit qu'en 1978, les non-spécialistes ne représenteraient pas une proportion des effectifs plus forte qu'actuellement, même si, comme le notait déjà la Commission Castonguay, «la tendance vers la spécialisation va nettement à l'encontre des objectifs du régime qui vise, lui, à orienter les soins et la médecine en fonction des besoins courants de l'ensemble de la population plutôt que des maladies rares[9].»

Un autre problème au moins doit être ajouté à celui de la surspécialisation des médecins québécois: celui de leur mauvaise répartition régionale. Là encore, l'instauration du régime d'assurance-maladie et la relative saturation des marchés urbains ont permis d'améliorer quelque peu la situation. Mais des écarts subsistent encore entre régions «surmédicalisées» et régions «sousmédicalisées», qui restent parfois considérables[10]. Montréal compte 2 fois plus de médecins par habitant que la Gaspésie, 3 fois plus que le Nord-Ouest, presque 5 fois plus que le Nouveau-Québec. Les écarts, il faut le préciser, sont nettement moins forts si l'on ne considère que les omnipraticiens: ils se maintiennent, Nouveau-

9. QUÉBEC, Commission d'enquête sur la santé et le bien-être social, *Volume IV: la santé,* chap. 10. 1970.
10. L'entente intervenue en septembre 1976 entre le ministère des Affaires sociales et la Fédération des médecins omnipraticiens du Québec va éventuellement permettre de corriger quelque peu cette situation, si le comité mixte de répartition des effectifs peut effectivement jouer un rôle actif et positif.

Québec excepté, dans un rapport de 1 à 2. Mais du côté des spécialistes, le problème prend parfois des proportions alarmantes. Nous avons déjà relevé, dans le chapitre consacré aux disparités régionales au Québec, que l'étude de Jean-Yves Rivard sur *Les effectifs médicaux au Québec* montrait que certaines régions étaient particulièrement mal pourvues en spécialistes, et ce, même dans les spécialités courantes.

Il est vrai que cette même étude montre que les médecins des régions périphériques travaillent plus que ceux des régions métropolitaines, et que les disparités régionales sont de ce fait moins fortes qu'on ne le croirait au seul examen des chiffres bruts. Mais il est vrai aussi que la faible densité de population des régions éloignées entraîne certainement l'existence de fortes disparités intrarégionales. Et que le nombre des omnipraticiens et surtout des spécialistes continue d'augmenter à une cadence respectable dans les régions où déjà ils sont nombreux, à savoir les régions de Québec, des Cantons de l'Est et de Montréal; en Gaspésie et dans le Nord-Ouest par contre, autrement dit dans deux des régions les plus défavorisées, le taux d'augmentation de la main-d'œuvre médicale a été moins fort, entre 1971 et 1974, qu'il ne l'a été dans l'ensemble du Québec[11]. Aussi n'est-il pas étonnant de constater qu'en 1974, les régions de Québec et de Montréal, qui regroupaient 72,7% de la population québécoise, monopolisaient 81,6% de tous les médecins. Le phénomène

---

11. Pour la répartition régionale de la main-d'œuvre médicale, voir par exemple les données de la Régie de l'assurance-maladie du Québec (*Statistiques annuelles 1974*, pages 42 et 134).

LES MÉDECINS ET LES AUTRES

était bien évidemment encore plus frappant si l'on ne tenait compte que des spécialistes, dont 84,5% exerçaient alors dans ces deux régions. Mais il n'était pourtant pas vraiment nouveau: en 1932 déjà, *L'Action médicale* publiait un article sous le titre révélateur de «Trop de médecins en ville»[12]...

Autre question à côté de laquelle il est difficile de passer quand on parle des médecins: leur rémunération. Chaque année, la publication du rapport annuel de la Régie de l'assurance-maladie du Québec donne lieu à quelques sublimes manchettes dans les quotidiens, qui ne manquent pas de relever, comme pour l'exercice 1975-76 par exemple, le cas des 82 médecins ayant gagné plus de $200 000 ou celui du physiâtre à... $615 000. Même s'il ne s'agit là que de cas extrêmes, le payeur de taxes s'interroge, se demande s'il n'y a pas confusion avec les revenus de vedettes du hockey ou du base-ball. Les médecins, donc, gagnent-ils trop d'argent? On ne le sait pas vraiment. Ce qu'on sait toutefois, c'est qu'ils en gagnent beaucoup: $438,9 millions de la seule Régie de l'assurance-maladie durant l'exercice 1975-1976, soit une moyenne de $46 877 par année et par médecin[13]. Décortiquée entre spécialistes et omnipraticiens, la rémunération moyenne des médecins québécois, cette même année, était de $53 164 pour les premiers et de $39 282 pour les seconds. Ces chiffres cependant ne reflètent qu'une partie de la réalité et des revenus des médecins: ils tiennent en effet compte de

---

12. Cité par Gilles DUSSAULT, *Le monde de la santé, 1940-1975: bibliographie.*

13. QUÉBEC, Régie de l'assurance-maladie, *Rapport annuel 1975-1976,* pages 53 et suivantes.

tout médecin qui a présenté une demande de paiement au moins à la RAMQ. Si l'on ne retient que les médecins qui ont reçu de la Régie plus de $20 000 dans l'année (ce qui peut être considéré comme le seuil en dessous duquel le médecin ne se consacre pas réellement à plein temps à sa pratique), la rémunération moyenne de l'omnipraticien a été de $57 697 en 1975-76, celle du spécialiste de $70 043 (les statistiques de la RAMQ montrent même qu'en excluant du calcul les médecins résidents et ceux qui ont commencé de pratiquer en cours d'exercice, la moyenne chez les omnipraticiens a été supérieure à $59 000...).

Fait inquiétant, pour les payeurs de taxes du moins, les montants totaux versés par la RAMQ aux médecins ont sensiblement augmenté depuis l'instauration du régime, passant de $282,2 millions en 1971-72 à $438,9 millions en 1975-76 (plus 55,5%). Cette augmentation a été plus rapide que celle du nombre total de services fournis, ce qui s'explique par le fait que d'année en année, les médecins facturent à la Régie des services de plus en plus coûteux. Ce même fait explique d'ailleurs en très forte partie que les médecins aient pu accroître leur revenu moyen durant cette période (plus 17,1%) même si les tarifs d'honoraires n'ont pas été modifiés[14]. On verra dans un chapitre ultérieur que la pratique médicale, du moins au Québec, est directement, fortement et largement influencée par des considérations de rentabilité financière — au bénéfice bien entendu des

---

14. Ils l'ont été à l'occasion de l'accord intervenu en septembre 1976 entre le gouvernement et les omnipraticiens, accord prévoyant des augmentations de 15%, 6,2% et 5,2% pour chacune des trois années de l'entente. Selon cet accord, des mécanismes de plafonnement des revenus des médecins seront également mis en place.

LES MÉDECINS ET LES AUTRES

praticiens. Qu'il nous suffise pour l'instant de relever un dernier fait, toujours dans ce contexte de tarifs d'honoraires inchangés mais de types d'actes posés toujours plus coûteux: la proportion de médecins gagnant plus de $60 000 par an a constamment augmenté depuis 1971 — atteignant, en 1975-76, 24,5% chez les omnipraticiens et 39,2% chez les spécialistes.

Ceci dit, il faut mentionner ici les arguments les plus souvent utilisés par les représentants de la profession médicale pour justifier de tels revenus. Ces revenus, disent-ils, sont bruts et il faut en déduire des frais professionnels élevés au chapitre des locaux et du personnel; les médecins, de plus, fournissent un nombre élevé d'heures de travail; ils ont dû, enfin, consacrer de longues années à leurs difficiles études. Sans entrer dans le détail d'une polémique déjà connue, on peut toutefois noter que cette argumentation perd de sa force quand on sait que le médecin utilise un personnel nombreux et un matériel coûteux en milieu hospitalier surtout (ce qui ne lui coûte pas un sou), que sa semaine moyenne de travail est d'environ 40 à 50 heures (ce qui n'est tout de même pas les héroïques et dévouées 70 ou 80 heures) et que ses études coûtent infiniment plus cher à la collectivité qu'elles ne lui coûtent à lui-même (l'étudiant en médecine, d'ailleurs, jouit sans doute de conditions tout aussi avantageuses que l'étudiant en sociologie ou en mathématiques...).

Parler en bloc des médecins, décrire «le» médecin moyen québécois, faire «le» portrait-robot du médecin, on l'a deviné tout au long des exemples que nous venons de citer, c'est pourtant pécher par excès de simplification. En fait, il semble qu'il faille parler d'une part des omnipraticiens, et d'autre part des spécialistes. Dans une intéressante monographie

135

sur *la profession médicale au Québec (1941-1971)* [15], Gilles Dussault, de l'Institut supérieur des sciences humaines de l'université Laval, montre d'ailleurs que « ce phénomène de la spécialisation constitue le changement le plus important qu'ait connu la profession médicale » et qu'il est « à la source de la plupart des transformations majeures qu'a connues la médecine au Québec ». Avec l'apparition de la spécialisation, explique en effet le chercheur, les anciens rapports d'autorité ont été modifiés. « Il s'est établi une hiérarchie entre non-spécialistes et spécialistes ; ces derniers ont rapidement exigé un statut supérieur en alléguant leur formation prolongée et leur plus grande compétence ; ces exigences comportaient un pouvoir décisionnel final dans les cas relevant de leur discipline, la préséance à l'hôpital et à l'université, le droit d'imposer des tarifs d'honoraires plus élevés et ainsi de suite. » Tant et si bien que la cohabitation des deux groupes au sein du seul et même organisme de représentation, le Collège des médecins, s'avère bien vite difficile, voire impossible. Les spécialistes, numériquement encore minoritaires dans la profession, y prennent bientôt le pouvoir — ne laissant d'autres choix aux omnipraticiens que celui du « séparatisme ». En 1962 vient donc au monde la FMOQ, la Fédération des médecins omnipraticiens du Québec, qui va se donner pour mission de défendre les intérêts professionnels de ses membres.

Mais la naissance du « syndicalisme » médical au Québec n'est pas due au hasard. Les années 60 sont

15. DUSSAULT, Gilles, *La profession médicale au Québec (1941-1971)*. Voir aussi, du même auteur, « Les médecins du Québec (1940-1970) », *Recherches sociographiques*, XVI, 1, 1975.

celles de l'arrivée des réformes sociales en matière de distribution des soins de santé, que ce soit l'assurance-hospitalisation qui entre en vigueur au Québec en 1961, ou l'assurance-maladie, rendue effective neuf ans plus tard. L'un des premiers objectifs de la FMOQ, par exemple, sera l'abolition du « tarif double » (le même acte était payé plus cher à un spécialiste qu'à un généraliste) : entériner ce principe au moment des premières mesures de « socialisation » de la médecine aurait permis de consacrer dans les textes une inégalité inadmissible pour les omnipraticiens. Dans le même ordre d'idées, les spécialistes ont dû à leur tour se « syndiquer » pour faire le poids dans les négociations qui s'engageaient au moment de l'instauration de l'assistance médicale, ce régime dont devaient bénéficier dès 1966 les personnes à charge de l'État ; c'est ainsi que s'explique la création, en 1965, de la Fédération des médecins spécialistes du Québec, la FMSQ.

C'est d'ailleurs à propos de l'épineuse question de l'assurance des soins médicaux que les deux groupes de médecins vont connaître leurs plus fortes prises de bec durant ces années 60. Tout le monde pourtant semblait s'entendre comme larrons en foire. Comme l'explique Gilles Dussault, les organisations professionnelles partageaient à peu près la même vision : « D'une part, le médecin est le seul à avoir la compétence nécessaire pour juger de ce qui est valable pour la santé des individus. D'autre part, la santé est un bien individuel et relève de la responsabilité privée. » En d'autres mots, le rôle de l'État doit tout au plus se limiter à aider les citoyens les plus mal nantis, des régimes mutualistes contrôlés par des compagnies privées et par les médecins faisant le reste. Coup de théâtre pourtant — « trahison » diront les spécialistes —, la FMOQ troque l'abrogation du tarif

double et l'accès aux hôpitaux universitaires, jusque
là réservé aux seuls spécialistes, contre son acceptation d'un régime public, obligatoire et universel
d'assurance-maladie. La liaison FMOQ-FMSQ deviendra orageuse, les deux «syndicats» négociant
même séparément au moment de l'instauration du
régime (on se souviendra qu'en octobre 1970, les
spécialistes ont mené une grève de dix jours à la
suite de l'impasse où ils se trouvaient dans leurs
négociations avec le gouvernement).

La rupture, continue pourtant Gilles Dussault,
n'était pas totale entre les omnipraticiens et les
spécialistes. «Si les deux groupes ne s'entendent pas
sur le rôle de l'État dans le domaine de la santé,
écrit le sociologue, ils continuent néanmoins à s'entendre fort bien sur celui du médecin.» Et leur point
d'entente, c'est leur idéologie «professionnelle»
commune. «Tout le discours des médecins est essentiellement axé sur le maintien et le respect de deux
principales «valeurs professionnelles»: l'autonomie
du praticien individuel dans ses relations avec son
client, celle de la profession médicale dans le domaine de la santé en général, et l'autorité du médecin sur les autres travailleurs de la santé. En somme,
c'est autour du droit des médecins à définir les règles du jeu en matière de distribution des soins
qu'est construite leur idéologie professionnelle.»
Commune aux deux groupes de médecins, la justification de cette idéologie professionnaliste l'est
aussi: avant les années 60, elle reposait surtout sur
la «mission» du médecin (il avait la «vocation»);
après, elle s'appuie sur sa compétence scientifique.
Mais qu'importe. Les médecins, omnipraticiens ou
spécialistes, restaient et restent d'accord en très
forte majorité sur un point, sur un slogan: la médecine aux médecins.

LES MÉDECINS ET LES AUTRES

Ou, comme dirait l'autre, la santé aux «docteurs»...

LES INFIRMIÈRES ET INFIRMIERS

Cette volonté des médecins de régner en rois absolus et en maîtres incontestés sur les choses de la santé et sur le domaine de la médecine est d'ailleurs à la source d'une des questions les plus discutées depuis quelque temps du côté infirmier de la barrière. Qu'est-ce qu'un acte médical? Qu'est-ce qu'un acte infirmier? La bataille des définitions est bel et bien engagée entre la Corporation des médecins et l'Ordre des infirmières et infirmiers, dans un climat qui ne permet pas toujours de séparer le bon grain professionnel de l'ivraie corporatiste. Car même si l'Office des professions et la loi reconnaissent au personnel infirmier une autonomie de pratique, les choses sont loin d'être aussi claires et aussi dichotomiques «sur le terrain». De fait, explique par exemple Olive Goulet, secrétaire des programmes des sciences de la santé à l'université Laval et chargée du dossier des infirmières lors de l'Opération sciences de la santé (OSS), «la proportion des infirmières qui jouissent d'une authentique autonomie professionnelle est encore si minime qu'il est difficile d'avancer des chiffres, notamment dans le secteur hospitalier où pourtant œuvre la grande majorité des effectifs de la profession.» D'où une espèce de sous-utilisation qualitative de la main-d'œuvre infirmière, que la même Olive Goulet résume en une phrase lapidaire: «Bien souvent, dit-elle, les tâches des infirmières pourraient être accomplies par du personnel hôtelier.»

DEMAIN LA SANTÉ

Aux frustrations que ne manque pas de générer une situation de ce genre vient s'ajouter le problème de conditions de travail souvent ingrates et presque toujours difficiles. Dans une étude réalisée en 1975 et qui portait sur les problèmes de recrutement de la main-d'œuvre infirmière[16], le Conseil de la santé et des services sociaux du Montréal métropolitain, le CSSSMM, monte ce problème en épingle. «C'est l'insatisfaction des infirmières face à certaines conditions de travail qui occasionne les mouvements inter-établissements, les mouvements intra-établissements ainsi que les départs effectifs du marché du travail», écrit le Conseil à la suite d'une enquête menée dans 23 centres hospitaliers de la région métropolitaine. «Parmi ces conditions, poursuit d'ailleurs l'organisme, l'horaire de travail semble conditionner de façon déterminante la discrimination qui s'effectue par les infirmières entre les divers types de poste.» Pour ne prendre qu'un exemple tiré de cette enquête, il a été montré que «les postes de nuit causent relativement quatre fois plus de vacances que les postes de jour».

Conséquence de cette insatisfaction de la main-d'œuvre infirmière, dans la région de Montréal du moins: son instabilité. On quitte un emploi pour essayer de trouver mieux ailleurs, on rêve d'un poste qui vous laisse plus souvent vos fins de semaine ou vos soirées, on cherche l'employeur qui offre des horaires plus réguliers. Résultat: de mai 1974 à mai 1975, et seulement dans les 23 centres hospitaliers de la région montréalaise étudiés, 2 411 postes ont été vacants pendant une moyenne de plus de 50 jours;

---

16. *Les besoins de coordination régionale dans l'acquisition de la main-d'œuvre infirmière,* septembre 1975.

ramenés sur une base annuelle, c'est près de 400 postes qui n'ont pas trouvé preneur ou preneuse dans les établissements en question.

Y aurait-il donc pénurie de main-d'œuvre infirmière? Oui et non, répond le CSSSMM. Il y a pénurie, mais pénurie artificielle seulement, causée d'une part par le haut degré de mobilité professionnelle, et d'autre part par le fait que nombre d'infirmières passent par les agences de placement privées pour travailler aux moments et aux heures qui leur conviennent le mieux. De son côté, la secrétaire adjointe de l'Ordre des infirmières et infirmiers du Québec, Margaret Wheeler, insiste sur le fait «qu'il n'y a pas d'étude scientifique qui démontre une pénurie d'infirmières, d'un point de vue global du moins». La porte-parole de l'Ordre reconnaît toutefois qu'il existe «une certaine pénurie d'infirmières dans à peu près toutes les régions éloignées et dans certains domaines, comme les soins aux personnes âgées, et ce même à Montréal.»

À tous ces problèmes s'en ajoute un autre: celui de la formation des infirmières et infirmiers. Ou plus exactement celui de leur double niveau de formation, à savoir le CEGEP et l'université. «La situation est aberrante, dit sans détour Olive Goulet, car il n'y a qu'une seule reconnaissance par l'Ordre et par les employeurs, quel que soit le niveau d'études atteint. Aussi les jeunes diplômées d'université ont-elles tendance à quitter le plus rapidement possible les postes d'infirmières de chevet pour se diriger vers l'enseignement ou vers la santé communautaire, en un mot vers les secteurs où elles trouveront certaines conditions d'autonomie.» Ceci dit, reconnaître deux types d'infirmières n'irait pas sans poser quelques problèmes, dont celui du nom lui-même d'infirmières que les diplômées de CEGEP devraient peut-être abandonner.

Que les infirmières et infirmiers de l'avenir soient plus bardés de diplômes que ceux d'aujourd'hui résoudrait-il tous les problèmes de la profession? Pas nécessairement. Il est sûr que leur statut professionnel au sein de l'équipe de santé ou face aux médecins-patrons s'en trouverait sans doute amélioré. Mais il est sûr aussi que l'image bien traditionnelle de l'infirmière servile et dévouée à «la cause» reste encore solidement ancrée dans l'esprit du public, des médecins et... de beaucoup d'infirmières. Il est vrai de plus que l'image de la femme servante et mère, indubitablement accolée à la profession (en 1974, l'Ordre comptait 1 200 hommes sur plus de 38 000 membres actifs), n'est pas pour aider à son émancipation.

Et il est encore plus vrai et plus réaliste de penser, avec Olive Goulet toujours, que «de toutes façons, il n'y aura pas spécialement d'avantages à mieux former nos infirmières et nos infirmiers tant que notre système restera tourné vers la maladie, le curatif et la distribution des soins à la chaîne.»

LES DENTISTES ET LES PHARMACIENS

Même s'ils constituent les deux groupes de loin les plus nombreux dans le secteur dit de la santé, médecins et infirmières ne sont pas les seuls professionnels qui y soient impliqués. Plus d'une vingtaine d'autres groupes, de taille parfois réduite il est vrai, travaillent dans notre système de lutte contre la maladie. Qu'on pense, pour n'en citer que quelques-uns, aux inhalothérapeutes, aux travailleurs sociaux, aux microbiologistes, aux diététiciens, aux ingénieurs bio-médicaux, aux psychologues, aux naturopathes, aux dentistes et même, ne les oublions pas, aux vétérinaires... Évidemment, il serait long d'étudier toutes ces professions en détail. Nous ne nous attarderons que sur quelques-unes d'entre elles, en nous inspirant dans une très large mesure des travaux menés pendant trois ans par l'Opération sciences de la santé et de son rapport final déjà cité.

C'est donc par «l'un des secteurs des services de santé où les problèmes sont à la fois pressants et complexes» et dans lequel «les besoins vont encore rester insatisfaits pour longtemps» que nous allons commencer. Car nous manquons, nous manquons sérieusement de dentistes. Avec un ratio dentistes/population à peine plus satisfaisant en 1975 qu'en 1938 (il était de 1/3 594 il y a plus de 35 ans, il est maintenant 1/3 000 tout au mieux...), c'est moins du tiers des Québécois qui peut effectivement avoir accès en temps opportun aux services voulus. Et encore faut-il ajouter que les trop rares dentistes que nous ayions sont fortement concentrés dans les régions métropolitaines: en 1973, 1 362 dentistes sur les 1 864 recensés au Québec exerçaient dans la région du Grand Montréal. La situation générale est d'autant plus inquiétante que malgré l'ouverture d'une troisième faculté de médecine dentaire en 1971, celle de l'université Laval, nous ne pouvons guère espérer atteindre un ratio satisfaisant — on parle habituellement de 1 dentiste pour 2 000 habitants — avant l'an de grâce 1997.

Aussi sommes-nous contraints à imaginer d'autres solutions que celle de la formation d'un nombre toujours plus grand de dentistes — bien que cette solution doive *aussi* être appliquée dans l'immédiat. La reconnaissance des denturologistes (les fabricants de dentiers) devrait permettre de décongestionner les listes d'attente chez les dentistes. La généralisation de la fluoration des eaux, qui diminue de 60 à 65% l'incidence de la carie, devrait améliorer l'état de santé bucco-dentaire de la population, même si ses effets ne se font sentir qu'à long terme. La formation d'hygiénistes-dentaires devrait également permettre de prévenir un certain nombre de problèmes. L'ouverture du programme à l'université Laval devrait aider à pallier le manque aigu de dentistes dont souffre particulièrement l'Est du Québec.

Mais pour l'instant et à coup sûr pour les quelques années à venir, la situation n'en reste pas moins « problématique ». Le dentiste, remarque par exemple le rapport de l'OSS, « demeure un entrepreneur isolé » et « rien n'a été fait pour encourager des modes différents de distribution des soins dentaires ni pour proposer des modes différents de rémunération. » Le coût élevé des soins dentaires constitue par ailleurs un sérieux obstacle pour nombre de personnes, bien que le programme de gratuité étendu aux enfants de 10 ans représente un premier pas dans la voie d'une nécessaire réduction des coûts assumés directement par les individus. Autre problème enfin que celui de la prévision du nombre de spécialistes à former, en l'absence de toute évaluation sérieuse des besoins en ce domaine et de toute estimation fiable de la proportion souhaitable de « généralistes » et de « spécialistes » dans le domaine de la médecine dentaire. Et c'est avec une certaine note de pessimisme que le rapport résume la question : « Il est sans doute difficile d'améliorer la santé dentaire au Québec pour plusieurs raisons dont les plus évidentes sont le nombre insuffisant de dentistes, le coût élevé des soins, la mauvaise répartition régionale des dentistes, l'indifférence vis-à-vis des méthodes individuelles de prévention et la résistance aux programmes de fluoration.» Raisons qui, notons-le, mettent directement en cause la profession dentaire dans trois cas sur cinq.

Avec les médecins et les dentistes, les pharmaciens forment la traditionnelle Sainte Trinité de la respectabilité sanitaire. Contrairement aux médecins mais comme pour les dentistes, c'est encore de pénurie dont on parle dans leur cas. Alors que dans l'ensemble du Canada, le ratio pharmaciens/population était de 1/1 904 en 1972, il était de 1/2 959 au Québec, atteignant même les sommets (ou les abîmes) de 1/11 076 dans le Bas-Saint-Laurent-Gaspésie en mai 1973. Mais la pénurie serait encore plus grande du côté des établissements de santé. Alors que les normes généralement admises sont de 1 pharmacien pour 100 lits dans le secteur des soins de courte durée et de 1/250 dans celui des soins prolongés, le Québec connaissait en 1973 des ratios de 1/145 et de 1/904 respectivement.

Il est sûr que la profession connaît depuis quelques années des remises en question parfois spectaculaires ou à tout le moins tapageuses — si tant est que les chicanes d'apothicaires qui ont accompagné l'adoption des règlements sur la tenue de pharmacie n'étaient pas uniquement inspirées par de belles et grandes idées de défense de la santé publique. On ne fait pas de bonne pharmacie — de bon commerce — avec de bons sentiments! La revalorisation du statut professionnel du pharmacien, son orientation nouvelle axée surtout sur le patient plutôt que sur le médicament, la découverte ou la redécouverte de son rôle de professionnel de la santé par opposition à son rôle d'épicier à pilules, tous ces éléments feront-ils le poids pour réorienter en profondeur la profession? La réponse n'est pas facile. Il y a pourtant fort à parier qu'un poste de pharmacien salarié restera encore longtemps moins aguichant que l'officine et ses bénéfices à la pièce. D'autant plus qu'avec les murs «d'au moins sept pieds» qui doivent désormais couper la pharmacie en deux — d'un côté la pharmacie-pharmacie, de l'autre la pharmacie-bazar —, l'honneur «professionnel» est sauf...

EXTRA, INFRA ET PARAMÉDICAUX

«On peut faire tout ce qu'on veut. Tant qu'on ne dérange pas les médecins du moins...» Ce mot d'un travailleur social œuvrant dans un Centre hospitalier universitaire décrit assez bien la place des «paramédicaux» dans l'actuel système de distribution de soins. Ils ne sont bien souvent, comme le disait d'ailleurs le même travailleur social, que «la cinquième roue du carosse». Exception faite des sciences infirmières, nombre de disciplines paramédicales sont la plupart du temps nouvelles dans le domaine de la santé. Que ces professions en émergence doivent s'y tailler une place explique sans doute combien elles peuvent déranger l'establishment médical, puisqu'elles viennent souvent remettre en cause les pouvoirs et les rôles traditionnels en même temps que les droits et privilèges acquis.

Type même de ces professions en émergence dans les institutions de santé au Québec: les travailleurs sociaux. Plus du quart des 1 500 professionnels inscrits à la Corporation à la fin de 1973 travaillaient en milieu de santé. Presque la moitié des hôpitaux québécois disposaient alors d'un secteur de service social, et la proportion dépassait même les 75% dans la catégorie des établissements de 200 lits et plus. «Le travailleur social, qui était un membre marginal de

LES MÉDECINS ET LES AUTRES

l'équipe de soins, est devenu un membre-clé de l'équipe de santé», explique le rapport de l'OSS. Mais ces enfants de la Commission Castonguay et des facultés de sciences socialisantes ne sont pas toujours accueillis à bras ouverts par les «vrais» professionnels du secteur, sauf peut-être dans les structures nouvelles où leur présence apparaît d'emblée comme nécessaire ou, à tout le moins, légitime. Les frictions, pour ne pas dire les affrontements, qui ont caractérisé les relations entre les médecins et les travailleurs sociaux dans certains CLSC prouvent pourtant que, même en milieu de santé présumément non traditionnel, les nouveaux venus ne sont pas toujours les bienvenus. D'autant plus qu'en matière de travail social, les tâches ne sont pas clairement divisées entre les travailleurs sociaux à proprement parler et les techniciens en travail social, ou conseillers sociaux, qui sortent des CEGEP. Pourtant, note le rapport de l'OSS, «une meilleure répartition des tâches entre les professionnels du travail social permettra aux travailleurs sociaux professionnels d'utiliser leur crédibilité actuelle dans les établissements de santé afin de faire avancer la promotion de la santé.» En attendant, c'est encore sous le signe de «la dispersion des programmes de formation, de leur incohérence, du chevauchement entre niveaux de formation et du manque de coordination» que vivent les professionnels du travail social, du moins quant à leur implication dans les milieux de la santé.

Pour compléter cette présentation des professionnels impliqués dans notre système de lutte contre la maladie, il faudrait encore parler des administrateurs de services de santé, à propos desquels le rapport de l'OSS note que «les commentaires de la Commission Castonguay-Nepveu relatifs à la priorité qu'il faut accorder à la formation d'administrateurs compétents dans le secteur de la santé sont encore d'actualité. » Il faudrait aussi parler de tous ces professionnels de la réadaptation (audiologistes et orthophonistes, physiothérapeutes, inhalothérapeutes, ergothérapeutes) dont on pressent un besoin général de plus en plus grand au Québec et dont une très forte proportion pratique pour l'instant à Montréal et à Québec seulement. Ou encore des scientifiques œuvrant en milieu de santé (biochimistes, biologistes, microbiologistes, vétérinaires, physiciens, ingénieurs bio-médicaux) dont certains manquent ou vont bientôt manquer et pour lesquels les programmes de formation ne sont pas toujours adaptés aux besoins réels. Ou encore des diététiciens et diététiciennes, dont une forte proportion travaille dans le secteur hospitalier à Montréal et à Québec, et dont on aurait besoin dans les régions éloignées, dans le système scolaire et dans les institutions de santé communautaire.

Tout ce beau monde, et c'est peut-être ce qui frappe le plus l'observateur extérieur, tout ce beau monde cherche bien sûr à trouver ou à préserver sa place au soleil de la castonguette *new look*. Les partages de compétences et de responsabilités — donc de gains — se font parfois après de chaudes luttes, en public ou en coulisses. Le tout dans une ambiance digne de la plus belle époque du corporatisme triomphant, même si le vocabulaire professionnaliste de l'Office du même nom cherche à maquiller un peu les plus grossières indécences de ce système. Le cas de l'œil est un bon exemple de cette situation: les ophtalmologistes, qui sont des médecins spécialistes, peuvent à peu près tout faire en ce domaine, depuis les actes médicaux comme tels jusqu'à la vente des verres de contact, mais pas de lunettes; les optométristes peuvent faire beaucoup, sauf poser des actes médicaux bien entendu, à tel point qu'en matière de prévention, ils peuvent «donner des conseils permettant de prévenir des troubles visuels et promouvoir les moyens favorisant une bonne vision», mais ne peuvent en aucun cas «donner des conseils permettant de prévenir les maladies et promouvoir les moyens favorisant une bonne santé»; les médecins omnipraticiens, eux, peuvent bien sûr poser des actes médicaux mais ne peuvent pas dépasser le stade des examens de la vue; les opticiens sont là pour vendre des lentilles ophtalmiques qu'ils ne peuvent toutefois pas prescrire tandis que les orthoptistes doivent se limiter à la rééducation visuelle, domaine qu'ils partagent toutefois avec les ophtalmologistes et les optométristes...

Dans certains domaines, c'est carrément et clairement en termes de concurrence qu'il faut parler. Six catégories de professionnels s'intéressent par exemple à la psychothérapie: les médecins généralistes, les psychiatres, les psychologues cliniciens, les conseillers en orientation, les travailleurs sociaux, les infirmiers et infirmières. Règle générale pourtant: dans tous ces domaines de concurrence, les médecins cherchent toujours à se tailler la plus grande partie possible du marché, partant de ce vieux principe déjà énoncé selon lequel seuls les médecins ont une compétence reconnue, réelle et indiscutable en matière de bobos et de problèmes. C'est ainsi qu'on voit des omnipraticiens ou des spécialistes se lancer à qui mieux mieux dans la psychothérapie, se mettre à faire des «manipulations de la colonne» comme le premier chiro venu ou aller en Chine s'informer de l'acupuncture avant que ne soient reconnus les actuels acupuncteurs.

C'est d'ailleurs sur ces grands et traditionnels

concurrents des médecins et de la médecine officielle que nous allons terminer. Si l'acupuncture et la naturopathie ne sont toujours pas reconnues au Québec, la podiatrie et la chiropraxie le sont depuis 1973. On sait que des recherches sur l'acupuncture et ses éventuelles utilisations ont cependant été entreprises au Centre hospitalier de l'Université de Sherbrooke, qui devraient peut-être contribuer à sortir cette discipline des sentiers de la clandestinité. Quant au Mouvement naturiste social, à son chef et à « son combat » pour l'édification d'une race naturiste saine et d'une société « national-naturiste » idéale, nous les laisserons à leurs occupations en regrettant peut-être de les voir encombrer toute la question de la naturopathie comme telle [17].

Et le mot de la fin, c'est au Collège des médecins (l'actuelle Corporation professionnelle) que nous l'emprunterons, puisque le Collège s'est longtemps et fortement opposé à toute pratique de la médecine par ces non-orthodoxes que sont les chiropraticiens — comme d'ailleurs ses membres renâclent, aujourd'hui encore, à toute intrusion d'un non-médecin dans les questions de santé. Dans une brochure savoureusement intitulée *La Médecine: ses disciples, ses contempteurs, ses fidèles, ses schismatiques, ses athées,* le Collège des médecins écrivait donc en 1940: «Le prêtre, grâce à ses études et à son ordination, est le seul qui doive s'occuper du culte; l'avocat est le seul qui par sa licence puisse s'occuper d'affaires de loi; le plombier est le seul habile à faire une canalisation selon les règles: de même, le médecin dûment qualifié sera seul appelé à

---

17. Voir aussi à ce sujet: STAFFORD, Jean, « Analyse et critique de l'idéologie naturiste », *Critère,* juin 1976.

soigner les individus et à diriger la communauté dans les voies de l'hygiène établies par des siècles d'expérience [18]. » Bref, comme le disait encore le Collège dans cette brochure : « Si la religion est une et vraie, la médecine doit, elle aussi, être une et vraie. »

Le vocabulaire et les références à la religion, dira-t-on, ont bien changé au cours du dernier quart de siècle. Soit. Mais la médecine a-t-elle cessé de se concevoir comme « une et vraie » ? Beaucoup sont ceux qui se permettent encore d'en douter !

18. Cité par Gilles DUSSAULT. *La profession médicale au Québec (1941-1971)*, op. cit.

7.
LES INSTITUTIONS EN CAUSE

Face aux différents groupes de professionnels impliqués dans le système de lutte contre la maladie, un autre ensemble de partenaires: les institutions. Publiques ou parapubliques dans la majeure partie des cas, mais aussi quelquefois privées, c'est avec elles — ou contre elles — que les professionnels-producteurs et les citoyens-consommateurs doivent compter. Et ce groupe d'institutions, on le sait, est de belle et forte taille.

La distribution des rôles, disent pourtant plusieurs, n'y est pas bien compliquée. En haut, tout en haut de la pyramide, le ministère des Affaires sociales: né en 1970 du regroupement du ministère de la Santé et du ministère de la Famille et du Bien-être social, le MAS n'a été vacciné ni contre la maladie infantile du gigantisme, ni contre celle de la centralisation à outrance.

Moins haut dans la pyramide institutionnelle — mais gros, très gros — les centres hospitaliers: même si l'intendance ne les suit plus aussi aveuglément qu'elle ne le faisait dans un passé encore récent, ils coûtent en 1976-1977 plus de 1,6 milliard de dollars. Autrement dit, la moitié du budget du MAS, ou plus du sixième de celui du gouvernement du Québec.

LES INSTITUTIONS EN CAUSE

En bas, derrière et en dessous de tout ce beau monde, les petits derniers, les nouveaux venus du système: glorifiés par les uns, honnis par les autres, ils sont connus de tous sous des sigles bizarroïdes de CLSC, de CA, de DSC, de CSS, de CRSSS. Symboles et produits types d'une réforme en cours de réalisation dans le domaine de la distribution des services sanitaires et sociaux, ces jeunes institutions forment une réalité — ou, plus exactement peut-être, un rêve — encore relativement marginale dans le réseau des affaires sociales et assez difficile à saisir, à décrire.

Enfin, pour simplifier le tableau, il sera encore question d'autres institutions impliquées dans ce tentaculaire système. Nous parlerons par exemple, dans le secteur parapublic, de la Régie de l'assurance-maladie du Québec, la RAMQ, créée pour gérer le régime du même nom et qui se définit elle-même comme un «agent-payeur» au service des médecins. Et nous évoquerons bien sûr, dans le domaine privé cette fois, toutes ces institutions à but très lucratif dont la santé financière dépend directement des maladies de la population, les industries de la santé et en particulier, les compagnies de produits pharmaceutiques.

LE MINISTÈRE DES AFFAIRES SOCIALES

Avec ses deux ministres (un tout court et un dit d'État) et ses deux cabinets de ministres, avec son sous-ministre en titre et ses 8 sous-ministres adjoints responsables d'autant de directions générales, avec ses 39 directions ramifiées en 99 services (le secrétariat du ministère formant le centième de la liste), avec les 6 organismes et les 4 comités relevant du ministre et dont certains ont la taille de la Régie de l'assurance-maladie du Québec, avec aussi ses quelque 5 000 employés et plus, le ministère des Affaires sociales est de loin le plus gros ministère québécois. Mais il n'y a pas que l'organigramme — « l'organigrouille » comme disent des cadres malins et supérieurs — qui soit imposant au MAS. Le budget aussi a de ces allures de gouffre dont je ne vous dis que ça.

Grâce à des crédits de $3,26 milliards en 1976-1977, le MAS absorbe en effet le tiers des crédits totaux du gouvernement du Québec ($9,75 milliards). Par rapport aux crédits alloués trois ans auparavant, soit $2 milliards en 1973-1974, le budget du MAS a donc connu une augmentation de 63%. Et la valse ne semble pas près de s'arrêter! Si l'on s'en tient à des taux d'augmentation compressés, raisonnables et plutôt optimistes de seulement 8% en 1977-1978 et de 6% pendant les deux années subséquentes, on calcule que le budget du MAS atteindra les $3,95 milliards en 1979-1980, à la condition toutefois de ne pas connaître d'expansion notoire de services dans le domaine des affaires sociales, ce qui serait une chose étonnante. Notons de suite au passage que ces sommes ne comprennent pas les budgets de la Régie de l'assurance-maladie, qui a dépensé $606 millions en 1975-1976 et qui devrait dépenser près de $1 milliard en 1980-1981.

Ces chiffres quasi olympiques ont de quoi décourager le Québécois ordinaire. Mais sont-ils vraiment effrayants ou étonnants? Tout dépend du point de vue. Et la première explication que l'on puisse en donner, en plus bien sûr de l'escalade inflationnaire des dernières années, c'est dans le mot d'intégration qu'elle réside. Le MAS en effet, on l'a déjà dit, ne s'occupe pas que de santé au sens strict du terme. Créé dans la foulée du rapport Castonguay à partir de deux ministères à vocation sociale, ceux de la Santé d'une part, et de la Famille et du Bien-être d'une autre part, le MAS travaille sur trois fronts de la politique sociale: la santé, la sécurité du revenu et l'adaptation sociale. C'est toutefois la santé qui mange la plus grosse part du gâteau, avec $1,87 milliard en 1976-77. La sécurité du revenu gruge pour sa part $0,75 milliard, la réadaptation sociale $0,57 milliard — des frais d'administration généraux de $0,07 milliard ($70 millions) venant boucler un budget global de $3,26 milliards. Si l'on tient compte du fait que la plus grosse partie des programmes de réadaptation sociale peut être incluse au chapitre de la santé, et que de plus une forte proportion des dépenses d'administration du ministère doit être imputée à ce même chapitre, c'est plus des trois quarts des crédits budgétaires du MAS qui iront à la santé en 1976-1977, soit environ deux milliards et demi de dollars. Dit en d'autres mots, la santé représentera cette année-là le quart des dépenses du gouvernement du Québec.

Ceci dit, quel bilan peut-on faire des activités mêmes du ministère des Affaires sociales? Comment ce tentaculaire organisme s'est-il acquitté et s'acquitte-t-il de son rôle de grand maître-d'œuvre de la réforme des services de santé et des services sociaux? C'est peut-être en revenant aux textes, en retournant à la Bible du rapport Castonguay qu'on peut esquisser une réponse à ces questions. Et constater que dix ans après la création, en novembre 1966, de cette fameuse Commission d'enquête, les objectifs généraux qu'elle avait fixés en 1970 à la nouvelle politique de santé n'ont été que très partiellement atteints. Rien n'indique en effet que des progrès très sensibles aient été enregistrés en matière d'amélioration de l'état de santé de la population, sauf peut-être au niveau de la mortalité infantile, et rien n'indique non plus que des efforts substantiels aient été effectués en vue d'améliorer l'état du milieu — ce qui pourtant, selon les mots mêmes du rapport, pourrait permettre «de maintenir un climat favorable à la santé et de garantir le bien-être et la joie de vivre[1]». Les objectifs particuliers que fixait le même document (à savoir l'accès universel aux soins, le respect de la personne, la qualité des soins, l'efficacité) ont-ils pour leur part été plus largement atteints?

«En partie oui, répond la directrice de la planification des services de santé au MAS, Nicole Martin. Venant après l'assurance-hospitalisation, l'assurance-maladie a représenté un pas extrêmement important dans le sens d'une accessibilité financière universelle aux services de santé. Parallèlement, et toujours en regard de cet objectif opérationnel intermédiaire d'accessibilité, la restructuration du réseau mise en branle par la Loi 65 a amorcé, dans une certaine mesure, une redistribution physique des ressources de santé.» Pour sa part, le sous-ministre des Affaires sociales, Jacques Brunet, rappelle également «qu'un certain nombre de problèmes élémentaires sont maintenant réglés» en matière d'accessibilité aux services de santé. Selon les deux hauts fonctionnaires du MAS, qui tous deux ont participé de près aux travaux de la Commission Castonguay à titre de conseillers, l'un dans le domaine économique, l'autre

---

1. QUÉBEC, Commission d'enquête sur la santé et le bien-être, *Volume IV: la santé,* chapitre 4, 1970.

dans le domaine médical, on considérait à l'époque que le problème numéro 1 des services de santé en Amérique du Nord, c'était celui de la rareté de la main-d'œuvre spécialisée, et notamment des médecins.

« On s'est donc mis à former des médecins, explique Nicole Martin, et leur nombre a pu augmenter pour des raisons d'économie de marché comme, entre autres, l'attrait de la profession une fois instauré le régime d'assurance-maladie. » Malheureusement, reconnaît maintenant le planificateur, l'augmentation des effectifs médicaux n'était pas une panacée. Par exemple, le problème de la distribution de ces effectifs sur le territoire n'a à peu près pas été corrigé, surtout en ce qui concerne les médecins spécialistes. De plus, comme le disait Jacques Brunet dans une allocution prononcée en juin 1976 dans le cadre du colloque organisé par la revue *Critère,* « les groupes de la société qui ont le plus besoin de soins, soit les handicapés, les personnes âgées et les malades à long terme, n'y ont accès que très difficilement. Ce phénomène, ajoutait d'ailleurs le sous-ministre, reflète l'ordre de priorités dans la distribution des soins qui ne traduit pas les besoins de la population en matière de réadaptation et de prévention. »

D'une façon plus globale d'ailleurs, le rapport Castonguay et le modèle de distribution de soins qui en est sorti se caractérisaient par une approche plutôt innovatrice des problèmes de santé. On proposait « d'orienter l'activité du régime vers la personne et la conservation de sa santé plutôt que vers la maladie ». Quand on parlait de médecine, c'était en des termes de « médecine globale », de « soins complets, continus et personnels » incluant aussi bien le préventif que le curatif, le physique que le mental, la réadaptation que la réinsertion dans le milieu social.

DEMAIN LA SANTÉ

On mettait de l'avant la nécessité d'agir et sur la maladie, et sur la cause profonde de la maladie, identifiée comme pouvant être sociale ou environnementale. Le ministère des Affaires sociales, donc, a-t-il su ou pu traduire dans la réalité de ses interventions les grandes lignes de cette approche nouvelle ? Toutes les mesures prises dans ce sens, répond le rapport de l'Opération sciences de la santé, « n'ont pas encore modifié de façon significative les habitudes des professionnels de la santé et n'ont pas encore suscité un grand nombre d'initiatives orientées vers le travail en équipe et la promotion de la santé[2]. »

Et il est bien vrai qu'aujourd'hui encore, le MAS semble empêtré dans une spirale dont il ne parvient à peu près pas à se sortir, celle du curatif. Il n'est qu'à jeter un coup d'œil à son budget : le secteur « recouvrement de la santé » accapare $1,69 milliard (plus du sixième, rappelons-le, du budget total du gouvernement du Québec), somme à laquelle il conviendrait d'ajouter la plus grosse partie des $606 millions dépensés par la Régie de l'assurance-maladie ; par contre le secteur « prévention et amélioration » ne reçoit, lui, que $184 millions. « Si l'on fait exception des CLSC et des DSC, admet Nicole Martin, tout ce qui s'occupe de santé au MAS et dans le réseau des affaires sociales est tourné vers une chose : la prestation de soins curatifs. » Et encore faudrait-il nuancer ces dires, comme on le verra un peu plus loin avec le cas des CLSC qu'un récent document du MAS semble bien vouloir réorienter, eux aussi, vers ce genre d'activités.

Autre pierre d'achoppement dans la mise en

2. QUÉBEC, Ministère de l'Éducation, en collaboration avec le ministère des Affaires sociales, *Rapport de l'OSS,* p. 63.

œuvre, sur le terrain et dans les mœurs, des principes du rapport Castonguay: l'intégration de l'approche santé et de l'approche sociale. « Que cette intégration ait été effectuée aussi bien au niveau global du MAS qu'au niveau local des CLSC est en soi une mesure importante, dit Nicole Martin. Il suffit de voir la confrontation dynamique que génère cette situation au moment de l'élaboration des budgets, c'est-à-dire à l'heure des vrais choix, pour en comprendre la portée réelle. » C'est vrai. Mais il faut tout de même se demander si l'intégration est véritablement réalisée dans les faits, au MAS aussi bien que dans le réseau, ou s'il ne s'agit pas encore, six ans après la fusion des deux ministères, d'une cœxistence plus ou moins pacifique entre des frères plus ou moins ennemis. Dans l'organigramme du MAS par exemple, les petites boîtes « santé » jouxtent bien souvent les petites boîtes « services sociaux ». Et dans les CLSC par ailleurs, les tenants de l'approche sociale et ceux de l'approche médicale entretiennent trop souvent entre eux des rapports mutuellement exclusifs. Bref, tous les problèmes relatifs à l'intégration effective et génératrice d'innovations des deux approches ne sont pas encore résolus.

Soit dit en passant d'ailleurs, la structure même du MAS ne vient pas faciliter les choses: sur les 8 sous-ministres adjoints et leurs 8 directions générales, il s'en trouve rarement un qui ait à lui seul pleine et entière juridiction sur une institution du réseau; l'un planifie pendant que le second essaye de programmer — quand ce n'est pas l'inverse —, alors que le troisième refuse de financer... Si bien qu'entre le ministère et les établissements du réseau, les lignes de communication administrative ne sont jamais simples, mais multiples, complexes, diffuses. Tout le

monde téléphone à tout le monde, les plus entre-
prenants trouvant forcément le tour d'approuver
leurs propres autorisations et d'autoriser leurs propres approbations. Non pas que le climat soit
systématiquement à l'anarchie organisée; mais il
n'est pas non plus à l'administration la plus sereine,
aux décisions les plus concertées. «Département
d'orthopédie à Saint-Georges, malgré Québec», titre
un quotidien[3] en expliquant que l'hôpital de cette
petite ville de la Beauce a décidé de créer ce service
envers et contre l'avis du MAS, à qui pourtant il
refilera la facture d'une façon ou d'une autre... Dans
le même ordre d'idées, Jean-Yves Rivard, professeur
au département d'administration de la santé à
l'Université de Montréal, cite le cas d'un petit hôpital montréalais qui, mine de rien, se transforme en
centre ultra-spécialisé en hématologie, par la seule
volonté des médecins qui y pratiquent et en dehors
de toute décision officielle quant à l'opportunité de
s'engager dans une telle avenue...

LA RÉGIE DE L'ASSURANCE-MALADIE

Il n'est bien évidemment pas question d'épuiser ici
un sujet aussi vaste que le fonctionnement d'un
ministère de la taille du MAS: l'avoir situé à grands
traits aura suffi à camper l'institution dans le paysage. Avant toutefois d'en arriver à cet autre bloc
d'institutions que sont les centres hospitaliers, un
mot s'impose d'un organisme connu de tous et de
toutes, d'une institution qui relève du ministre des

---

3. *Le Soleil,* 2 décembre 1975.

LES INSTITUTIONS EN CAUSE

Affaires sociales mais à laquelle ses statuts et sa taille confèrent une prestance particulière: la Régie de l'assurance-maladie du Québec, la RAMQ.

L'entrée en vigueur du régime d'assurance-maladie, le 1er novembre 1970, marque en effet une date tournante dans l'histoire de services de santé au Québec. Après une quarantaine d'années d'obstructions de tous crins et de tous poils, de mémoires officiels et de jeux de coulisses, de guerres à l'étatisation et d'éloges de la qualité de la médecine privée, les médecins acceptent de lâcher, du moins en apparence, un peu de lest. Leur opposition à tout projet de régime universel, public et obligatoire avait jusqu'alors été notoire, se fondant sur une argumentation que le sociologue Gilles Dussault résume en ces mots: «D'une part, le médecin est le seul à avoir la compétence nécessaire pour juger de ce qui est valable pour la santé des individus. C'est pourquoi tout ce qui touche au domaine de la santé le concerne et relève de lui. D'autre part, la santé est un bien individuel et relève de la responsabilité privée. Donc, s'il est vrai que tous les citoyens ne peuvent avoir accès aux soins médicaux ou hospitaliers, la responsabilité de remédier à cette situation revient aux individus eux-mêmes et aux médecins, non à l'État[4].» On a vu que la division de la profession médicale face aux propositions gouvernementales (les omnipraticiens «lâchant» les spécialistes pour obtenir gain de cause sur certaines des revendications qui leur tenaient le plus à cœur), on a vu donc que cette division avait permis de rendre effectives les premières recommandations de la Commission

---

4. DUSSAULT, Gilles, *La profession médicale au Québec (1941-1971)*, 1974.

DEMAIN LA SANTÉ

Castonguay: l'instauration d'un régime d'assurance-maladie universel, public et financé à la fois par l'État et les individus. L'accouchement, pourtant, ne se fit pas sans douleur; en octobre 1970, les médecins spécialistes déclenchaient une grève dans un ultime effort pour contrer la mise en application des dispositions déjà négociées avec leurs collègues omnipraticiens — mouvement auxquels les événements politiques de l'heure ôtèrent finalement beaucoup d'impact.

Les concessions de la partie médicale avaient-elles toutefois été si grandes? Avec le recul dont nous disposons maintenant, il semble bien qu'il faille répondre à cette question par la négative. Les médecins, en effet, n'ont à peu près rien perdu de leur « liberté » professionnelle, ni dans le secret de leur conscience ou de leur cabinet, ni face à une Régie dont les pouvoirs de contrôle de l'activité médicale sont pratiquement inexistants. Des représentants de leurs « syndicats », la fédération des spécialistes et celle des omnipraticiens, siègent au conseil d'administration de la Régie. Au printemps 1975, c'est un médecin, jusqu'alors haut fonctionnaire au MAS il est vrai, Martin Laberge, qui a été appelé à devenir le troisième président et directeur général de l'organisme. Quant à l'aspect monétaire de la question, il serait pour le moins indécent de soutenir que les médecins ont laissé quelque plume que ce soit dans l'opération...

Il faut le leur reconnaître: les médecins ont même assez vite réalisé que l'affaire n'était pas si mauvaise. La RAMQ est un « agent payeur » qui paye rubis sur l'ongle, autrement dit, vite et bien. Et le système de rémunération qui a été retenu, la rémunération à l'acte, permet somme toute d'arrondir assez facilement les fins de mois, comme nous le verrons dans le prochain chapitre.

C'est ainsi qu'on a pu voir grossir, au fil des années, la RAMQ. Si l'on compare les données de 1971-72 (la première année d'opération complète) et celle de 1975-76 (la dernière année actuellement bouclée), les augmentations sont parfois impressionnantes. En l'espace de quatre ans, le nombre d'actes payés chaque année est passé de 34,5 millions à 48,9 millions, une augmentation de 41,7%; parallèlement, le coût global de ces actes est passé de $282,2 millions à $438,9 millions, ce qui correspond à une augmentation, nettement plus rapide, de 55,5%. Ce premier rapprochement, d'ailleurs, suggère que les actes posés sont des actes de plus en plus coûteux, puisqu'entre temps les tarifs attachés à chacun des actes décrits dans les ententes entre la Régie et les médecins sont restés à peu près fixes; nous reviendrons aussi sur ce «détail» dans le chapitre qui suit. Tant et si bien que la rémunération moyenne des médecins a elle aussi augmenté: elle est passée de $34 035 à $39 282 par an chez les omnipraticiens, et de $44 432 à $53 164 chez les spécialistes. Les dépenses totales de la RAMQ ont bien entendu suivi la même courbe ascendante: $352,2 millions en 1971-72, $606,1 millions en 1975-76. Fait à souligner toutefois, et qui reflète peut-être les vertus d'administrateur sévère de son premier président, Robert Després, la Régie de l'assurance-maladie du Québec ne fonctionne pas à perte. Au contraire. Le 31 mars 1976, ses excédents accumulés s'élevaient à plus de $128 millions. Dans ces conditions, l'augmentation des cotisations des particuliers au régime, annoncée par le ministre des finances pendant l'olympique printemps 1976, a de quoi étonner...

Ces comptes et ces décomptes étant faits, qu'en est-il du bilan que l'on peut dresser à la lumière des premières années de l'expérience québécoise de l'assurance-maladie? Une fois encore, il n'est pas question de vider ici le sujet. Mais quelques éléments tirés d'un article de Daniel Larouche, un économiste qui justement travaille à la RAMQ, permettront sans doute d'amorcer le débat. Cet article, publié par la revue *Critère* dans l'un des numéros préparatoires à son colloque de juin 1976, proposait une réflexion à partir des objectifs fixés par la Commission Castonguay elle-même au régime dont elle recommandait l'implantation[5].

Si l'accessibilité financière aux soins médicaux est devenue un fait acquis grâce à l'instauration du régime, disait donc en substance Daniel Larouche, si le nombre de médecins a pu augmenter, il n'en est pas de même avec les autres mesures d'accessibilité: les omnipraticiens, au tout début du régime du moins, ont diminué leur volume d'activité et réduit leur durée de travail; le temps d'attente pour obtenir les services des médecins a augmenté; le nombre des visites à domicile a diminué; la disponibilité des médecins dans les régions jusque-là défavorisées à ce point de vue n'a pas augmenté aussi vite qu'on l'aurait espéré. En regard du second objectif du régime, soit l'efficacité maximale dans la dispensation des soins, l'économiste notait que des phénomènes comme celui de la tendance à une pratique constituée d'actes de plus en plus coûteux, voire inutiles ou dangereux, «ne constituaient pas une base suffisante pour conclure à une inefficacité générale dans le système québécois de dispensation des soins», mais montraient «l'influence des règles du

---

5. LAROUCHE, Daniel, «Cinq ans d'assurance-maladie: cinq pas vers une santé meilleure?», *Critère*, juin 1976.

LES INSTITUTIONS EN CAUSE

jeu sur le comportement des acteurs d'un système, en l'occurence les médecins». Constatation encourageante que celle-ci, ajoutait-il d'ailleurs, car «si certaines règles du jeu modifient le comportement des acteurs de façon à nous éloigner d'un objectif d'efficacité, il est vraisemblable que des modifications appropriées tendront au contraire à nous en rapprocher». Quant au dernier objectif du régime d'assurance-maladie, à savoir les rendements sociaux de la santé, Daniel Larouche remarquait simplement qu'il servait plus à justifier globalement les sommes dépensées qu'à orienter réellement la politique de distribution de soins médicaux.

La RAMQ, concluait l'économiste, «ne semble pas pouvoir dire *mission accomplie* sur tous les objectifs qu'on lui avait fixés, mais elle constitue quand même un instrument valable qui, s'il est bien utilisé, peut en favoriser l'atteinte.» Cet optimisme, après tout, n'est peut-être pas de mauvais ton. D'autant plus, comme le souligne avec bon sens le même Daniel Larouche, que «les gens préfèrent l'assurance actuelle à l'absence d'assurance»...

LES CENTRES HOSPITALIERS

Dans l'hôtel le moins cher au monde, puisque tout y est gratuit pour le client, chaque lit coûte en moyenne $35 000 par année. Tel est du moins le coût moyen de fonctionnement enregistré en 1974 par lit dressé dans les hôpitaux généraux publics du Québec — une augmentation brute de plus de $5 000 par rapport à la moyenne de l'année précédente. Ces données, qui touchent la majeure partie des centres hospitaliers québécois (ils totalisent environ 95% des journées d'hospitalisation enregistrées), sont tirées de la dernière édition disponible d'une publication du MAS, *Performance des hôpitaux 1969-1974* [6]. En dollars constants, précise la publication, c'est à 35,9% que se chiffre l'augmentation réelle des coûts globaux entre ces deux dates. Les hausses de salaire expliquent en bonne partie cette augmentation, ce poste et celui des bénéfices marginaux représentant de toutes façons plus des trois quarts des dépenses des établissements hospitaliers. Fait intéressant à noter: la population du Québec n'ayant que très peu augmenté durant cette période, le nombre de journées d'hospitalisation par habitant et le nombre de lits dressés par tranche de 1 000 habitants étant demeuré stables (le nombre de lits a même diminué en 1974), l'augmentation du coût des hôpitaux est due à une augmentation des coûts des services qu'ils dispensent.

Si cela peut nous consoler toutefois, nos voisins de l'Ontario connaissent le même genre de problèmes. Chez eux d'ailleurs, les coûts grimpent plus vite qu'ici depuis les dernières années, comme le montre toujours *Performance des hôpitaux,* étude qui est entièrement construite sur la base d'une comparaison entre les deux provinces. Malgré cela, le coût moyen d'une journée d'hospitalisation reste nettement plus élevé au Québec qu'en Ontario: en 1974, il était ici de $116,83 et là de $95,39.

Comment expliquer un tel écart? Plusieurs faits doivent être soulignés pour répondre à cette question. Premièrement, le Québec a nettement plus recours que l'Ontario aux cliniques externes; réduisant

6. QUÉBEC, Ministère des Affaires sociales, *Performance des hôpitaux, 1969-1974, établissements publics de soins généraux,* par André Toupin et Jacques Lafort, octobre 1975.

ainsi le nombre de journées d'hospitalisation, il en augmente en même temps le coût moyen. Si donc on ne s'attache qu'aux coûts imputables aux malades hospitalisés, l'écart entre les deux provinces diminue assez nettement, passant de 22,5% à 14,1%. L'écart, dira-t-on, reste encore important. Cela est vrai. Mais la tendance à moins hospitaliser qu'on vient de relever au Québec a pour effet que les cas hospitalisés sont en moyenne plus graves ici qu'en Ontario, plus «lourds» dit-on dans le jargon administratif, donc plus coûteux. De plus, la proportion des lits de longue durée par rapport à l'ensemble des lits dressés est nettement moins forte au Québec qu'en Ontario (3,0% contre 8,4%); or, les lits de longue durée, réservés aux malades chroniques, coûtent en moyenne moins cher que les lits réservés aux cas de maladies aiguës. Dernier point enfin, la proportion des lits d'enseignement est très élevée au Québec, trop même, disent certains analystes de la situation: 50,8% des lits dressés appartiennent à des hôpitaux universitaires au Québec, contre seulement 31,5% en Ontario (données de 1973). Or, on constate un écart de près de $10 000 par an entre le coût moyen d'un lit «normal» et celui d'un lit universitaire. À la lumière de ce fait, et compte tenu des données sur les effectifs médicaux et sur la trop forte concentration de l'enseignement médical en milieu hospitalier, il faut se demander s'il n'y aurait pas lieu de «déscolariser» quelque peu nos hôpitaux...

Utilisées par le ministre Forget pour justifier les réductions dans les budgets qu'il s'apprêtait à annoncer, les données que nous venons de voir furent vertement critiquées, au début de 1976, par l'Association des hôpitaux de la province de Québec, l'AHPQ. Selon l'Association par exemple, le fait que le nombre de journées d'hospitalisation par habitant et que le coût moyen des hôpitaux par habitant soient plus bas qu'en Ontario, ce fait donc montre bien que les Québécois et leurs hôpitaux n'exagèrent pas, du moins dans ce secteur des services de santé[7].

La bataille des chiffres, on s'en doute, n'a pas fini de faire rage, d'autant plus qu'en matière de médecine et d'hôpitaux, la ligne de démarcation est difficile à tracer entre la qualité et l'exagération, entre le souci de bien faire et l'insouciance du gaspillage. Le ministère, effectivement, a facilement tendance à chercher (et parfois à trouver) les sous qui lui manquent dans cet énorme milliard et demi de dollars que représente le budget des 250 hôpitaux en opération au Québec. Mais ces mesures d'économie, certes louables, ne semblent pas toujours s'inscrire dans une politique de distribution des services de santé réellement planifiée à long terme.

Il est vrai, rétorquera-t-on, qu'après l'espèce de carte blanche à l'expansion illimitée donnée aux hôpitaux dans les années 60, le gouvernement leur avait demandé dès 1970 de commencer à se serrer la ceinture. Cette année-là en effet, un embargo avait été décrété, qui arrêtait tout projet de constructions hospitalières. Dans les années qui suivirent, on ferma petit à petit des lits pour en arriver, avec le budget 1976, à des coupures de l'ordre de $30 mil-

---

7. L'AHPQ a néanmoins proposé, en septembre 1976, un plan susceptible de conduire à des économies de l'ordre de $145 millions par année dans les hôpitaux publics québécois. Le plan en question se fonde sur quatre mesures: réduire le taux d'accroissement des salaires payés aux employés, minimiser l'utilisation non appropriée des services hospitaliers, rationaliser la répartition des ressources entre centres hospitaliers et améliorer l'efficacité de l'utilisation des ressources humaines et matérielles dans les établissements d'après *Le Devoir,* 17 septembre 1976).

lions dans le budget global des hôpitaux. Bien. Mais ces mesures d'austérité ont souvent été perçues, par le milieu, comme autant de mesures arbitraires. Il est par exemple plutôt rare de voir le développement d'un centre hospitalier s'inscrire dans un plan clair et mutuellement agréé par les deux principales parties en cause, l'intéressé et le bailleur de fonds. De par la Loi sur les services de santé et les services sociaux (1971, c. 48) connue du grand public sous le nom de Loi 65, il existe bien une certaine catégorisation des centres hospitaliers; il y a des CH de soins de courte durée qui sont répartis en trois types (soins généraux, soins spécialisés, soins ultra-spécialisés) et des CH de soins prolongés eux-mêmes répartis en deux types (pour convalescents et pour malades à long terme). C'est bien, mais c'est tout de même un peu court pour servir de cadre de référence à un développement un tant soit peu planifié.

Aussi les choses vont-elles un peu à la va-comme-je-te-pousse dans le «réseau» des affaires hospitalières. On se spécialise et on s'ultra-spécialise à qui mieux mieux, au hasard des inspirations ou des besoins qu'on a décelés dans la population un matin en sortant de son lit, au gré de décisions souvent prises ou entérinées chacun pour soi et chacun dans son coin. La guerre du prestige se fait à coups de bombes au cobalt et de microscopes électroniques, le recrutement de la clientèle au prix du développement d'ultra-spécialisations, en nombre comme en variété: on en agrandit ici et là l'éventail offert, avec tous les investissements que cela suppose, sans se soucier qu'on ne traitera peut-être qu'un tout petit nombre de cas dans chacun de ces domaines...

Dernier point à soulever, qui vient d'ailleurs expliquer en bonne partie les phénomènes dont il a été jusqu'ici question: les libertés, les grandes libertés dont jouissent les médecins dans les centres hospitaliers. Aussi surprenant que cela puisse paraître, un centre hospitalier ne peut à peu près pas refuser à un médecin ou à un dentiste de venir pratiquer en ses murs. «Tout refus de candidature, dit en effet textuellement l'article 92a de la Loi sur les services de santé et les services sociaux, tout refus de candidature doit être motivé et se fonder uniquement sur des critères de qualification, de compétence scientifique ou de comportement.» Or, le médecin qui jouit ainsi de ces privilèges ne doit débourser aucun frais d'utilisation des espaces et surtout des équipements, fort coûteux, et du personnel, quelquefois nombreux, auxquels il a recours pour pratiquer. Il peut de plus pratiquer dans autant de centres qu'il le désire. «On a estimé, dit Jean-Yves Rivard, que chaque médecin qui possède des privilèges complets d'hospitalisation suscite en moyenne, chaque année, des dépenses hospitalières d'au moins $150 000. À noter en passant que ce montant n'inclut pas la rémunération moyenne annuelle des spécialistes, qui se situe à plus de $50 000.» En se fondant sur le nombre de spécialistes que produit notre système de formation, il faut s'attendre à ce que, chaque année, les hôpitaux doivent «débourser une somme additionnelle d'au moins $45 millions, en dollars constants 1974, pour fournir aux nouveaux médecins les ressources humaines et matérielles nécessaires à la pratique de leur art en milieu hospitalier», ajoutait le spécialiste en administration hospitalière dans sa conférence prononcée lors du colloque de la revue *Critère*.

Coûts élevés, efficacité administrative et thérapeutique parfois mise en doute, développement anarcho-planifié, grosses machines publiques entre les mains d'entrepreneurs privés: les hôpitaux, les centres hospitaliers plus exactement, symbolisent par excellence la démesure de l'entreprise médicale contemporaine et semblent concentrer en eux tous les péchés du monde. Pour un ministre condamné à gratter les fonds de tiroir, au moment notamment où le gouvernement fédéral rechigne à payer sa moitié d'addition, la tentation est donc grande d'en faire les boucs émissaires du système de lutte contre la maladie. Mais, nous l'avons vu, rien n'est si simple et les torts sont souvent partagés entre le MAS et les CH. Malheureusement, ni l'un ni l'autre des partenaires ne semble disposé, pour l'instant du moins, à bien vouloir le reconnaître.

LES NOUVEAUX VENUS DANS LE RÉSEAU

Son nom même annonce la couleur: la Loi sur les services de santé et les services sociaux, sanctionnée en décembre 1971, procède d'une conception élargie de la santé — cet «état de bien-être physique, mental et social complet» dont parle l'Organisation mondiale de la santé. Et le «réseau» d'établissements qu'elle va créer ou transformer, du moins pour ceux de «première ligne», s'inspirera de cette conception.

Prolongement législatif des grands principes et des grandes lignes du rapport de la Commission Castonguay, cette fameuse Loi 65 fixe le cadre d'organisation des services de santé et des services sociaux dispensés par les établissements québécois. À la place des quelque 1 700 hôpitaux, unités sanitaires, foyers pour personnes âgées, crèches, pouponnières,

171

écoles de protection pour la jeunesse, agences de service social et autres établissements dont le statut juridique, le mode d'organisation, la spécialisation variaient presque à l'infini, le législateur propose donc un réseau intégré et cohérent d'établissements de quatre catégories bien précises : les centres hospitaliers (en fait, les anciens hôpitaux), les centres locaux de services communautaires, les centres de services sociaux et les centres d'accueil.

Il a déjà été question, dans les pages précédentes, des CH et de leurs vocations spécifiques, déterminées selon la durée et le niveau des soins qu'ils dispensent. Les CLSC, probablement la création la plus originale de la Loi, sont pour leur part définis comme les établissements de « première ligne » tant sur le plan sanitaire que sur le plan social ; une insistance particulière est mise sur la prévention dans la définition même qu'en donne la Loi. Les centres de services sociaux, les CSS, doivent de leur côté fournir des services d'action sociale bien précis (traitement psycho-social, placement d'enfants ou de vieillards, etc) et sont constitués à partir du regroupement, au niveau de chacune des régions socio-sanitaires du Québec, des anciennes agences de service social ; les réorientations récentes du réseau semblent vouloir mener à une limitation des tâches dévolues aux 14 CSS, qui devraient s'occuper plus spécifiquement de protection de la jeunesse, d'aide aux handicapés physiques et mentaux et de soutien aux personnes âgées. Quant aux centres d'accueil, les CA, il en existe environ un millier répartis en quatre classes : les centres de garderie, les centres de transition, les centres de réadaptation et les centres d'hébergement. Notons que la Loi 65 prévoit de façon assez concise les modes d'organisation de tous ces CH, CLSC, CSS et CA — établissements néan-

LES INSTITUTIONS EN CAUSE

moins doués d'une certaine marge d'autonomie.

Autres créations de cette loi: les CRSSS, les conseils régionaux de la santé et des services sociaux. Ces organismes, il faut le souligner de suite, ne sont pas des «établissements»; ils ne dispensent pas de soins ni de services à la population. Ils constituent au contraire des instances décentralisées et autonomes, dont les fonctions consistent à la fois à faire de l'animation auprès de la population et des établissements de la région en vue de mieux définir les besoins spécifiques et d'y mieux répondre, et à assurer une liaison de type consultatif entre cette population et ces établissements d'une part, et le ministère et le ministre d'une autre part.

Outils privilégiés, sur le plan théorique du moins, des objectifs de régionalisation omniprésents dans le rapport Castonguay, tremplins vers la création d'un véritable *réseau* d'établissements — interdépendants et complémentaires les uns des autres et non plus ouvertement et bêtement concurrents —, les CRSSS n'ont toutefois pas joué un rôle de première importance depuis la promulgation de la loi 65. «Il est vrai, dit à ce sujet Nicole Martin, que le pouvoir des CRSSS n'a pas toujours été respecté dans le passé. Mais la décentralisation du MAS passe pourtant par eux et en matière de planification par exemple, nous les insérons de plus en plus dans le processus. On commence aussi à mettre de l'avant certaines formules de décentralisation du financement, qui elles aussi passent par les CRSSS: depuis le printemps de 1976, les revenus des chambres privées — une somme globale de $30 millions environ — ne retournent plus dans les caisses du MAS, mais restent pour 45% à l'établissement et pour 45% au CRSSS concerné, les derniers 10% allant au MAS pour redistribution dans les régions où ces revenus sont moins élevés. C'est un premier pas, une première tentative concrète d'aider à la création d'un véritable réseau des affaires sociales», de conclure la directrice de la planification des services de santé du MAS.

Quant aux DSC, et c'est là le dernier des sigles avec lesquels le public a dû apprendre à vivre depuis la mise en branle de la réforme, ils ont été créés par voie de règlement en vertu de la Loi 65. C'est qu'à vrai dire, un département de santé communautaire n'est jamais qu'un département parmi d'autres dans le centre hospitalier, au même titre, sur le papier du moins, qu'un département d'obstétrique ou de chirurgie. Voilà pour les formes. Dans les faits toutefois, les DSC créés dans les 32 centres hospitaliers québécois désignés ne sont pas tout à fait des départements «comme les autres». Chargés notamment d'étudier les besoins de la population en matière de santé et de mettre en œuvre des programmes et des services préventifs en collaboration avec les CLSC, les DSC intègrent, à l'intérieur de l'hôpital où ils existent, les services de médecine générale, et à l'extérieur, les structures de santé publique. C'est ainsi qu'ont été ou que sont en voie d'être intégrés aux DSC, les unités sanitaires, les services de soins à domicile, les services de santé en milieu scolaire et les services de santé municipaux. «Il s'agit plus que d'une simple restructuration, dit Jean Rochon, directeur du DSC du Centre hospitalier de l'université Laval, à Québec; la création des DSC marque entre autres un changement profond dans le rôle de l'hôpital.» En effet, de machines à produire des soins curatifs qu'ils étaient, les hôpitaux — ceux du moins qui se sont vus désigner pour monter des DSC — doivent soudain intégrer d'autres préoccupations, admettre d'autres finalités. «Les hôpitaux, note un professeur de médecine sociale et préventive de

LES INSTITUTIONS EN CAUSE

l'Université de Montréal, George Desrosiers, sont plutôt préoccupés non pas par les besoins des populations, mais par les besoins des individus qui se présentent dans leurs services[8].» Or, on a vu que le règlement qui les a créés confie spécifiquement aux DSC la responsabilité d'aller étudier, d'aller découvrir sur le terrain les besoins de la population qu'ils desservent...

Chose certaine en tout cas, les DSC, à l'instar des CLSC d'ailleurs, constituent des lieux privilégiés de mise en œuvre d'une conception élargie de la santé qui intègre, et l'approche prévention, et l'approche plus largement sociale des problèmes et des besoins de la population — du moins tant et aussi longtemps que les CLSC pourront continuer d'explorer les avenues qu'ils ont essayées depuis le début de leur tumultueuse jeunesse. Car la situation, depuis toujours, a été floue dans ces institutions. «Le CLSC, dit la Loi 65, est une installation autre qu'un cabinet privé de professionnel, où on assure à la communauté des services de prévention et d'action sanitaires et sociales, notamment en recevant ou en visitant les personnes qui requièrent pour elles ou leurs familles des services de santé ou des services sociaux courants, en leur prodiguant de tels services, en les conseillant ou, si nécessaire, en les dirigeant vers les établissements les plus aptes à leur venir en aide.»

---

8. DESROSIERS, George, «Les départements de santé communautaire: une expérience québécoise», *Canadian Journal of Public Health,* March/April 1976. Voir aussi sur cette question un article de Jean ROCHON à paraître dans l'*Annuaire du Québec,* «La santé communautaire dans le système régional des services de santé et des services sociaux».

DEMAIN LA SANTÉ

Le texte est là, mais les interprétations varient de CLSC à CLSC, d'autant plus que l'esprit et la lettre de la Loi 65 prévoient la participation des usagers à la gestion de leur centre local de services communautaires. Les affrontements éclatent donc vite au grand jour, entre les tenants du modèle traditionnel de dispensation de soins et les tenants du modèle progressiste d'action sur le milieu, sur les conditions sociales et économiques. Les médicaux s'opposent aux sociaux, les curatifs aux préventifs, et plusieurs CLSC voient se développer des luttes à finir entre les deux idéologies.

À la Fédération des CLSC toutefois, on cherche à aller de l'avant. Au printemps de 1976, à la suite d'une tournée qui permet de rejoindre la majeure partie des 70 CLSC alors en opération ou en phase d'organisation, l'organisme peut avancer une définition sur laquelle, dit-il, tous les CLSC s'entendent. «Le CLSC, selon la Fédération, est un établissement public qui, en rendant accessibles les services de santé et les services sociaux courants, les services de prévention et les services d'action communautaire, vise, dans une approche globale et multidisciplinaire, à relever l'état de santé d'une population donnée, à améliorer les conditions sociales des individus et de la communauté, à amener la population à prendre en charge ses problèmes et à améliorer le milieu dans une perspective de développement [9].»

«Malheureusement, commente le président de la Fédération, André Tétrault, le MAS cherche à nous

---

9. *Définition du centre local de services communautaires,* par la Fédération des Centres locaux de services communautaires, avril 1976.

imposer un modèle médical, à nous orienter vers des activités de distribution de soins curatifs plutôt que vers des programmes de promotion de la santé. À la limite, il cherche à nous réduire à de simples moyens d'accessibilité physique aux services de santé et aux services sociaux traditionnels, alors que nous nous définissons comme beaucoup plus que cela.» Et il faut reconnaître que les intentions du MAS à l'égard des CLSC — du moins à ce qu'on a pu en voir durant l'été 1976, alors qu'un document de travail sur la réorientation des CLSC était rendu public par la presse — semblent plutôt pencher du côté d'une «normalisation» de la situation. Selon ce document en effet, le CLSC doit être «en mesure de répondre adéquatement à toute personne qui, selon l'expression populaire, a besoin de voir un médecin ou un travailleur social»; centre de distribution de soins et de services, le CLSC doit donc être «accessible à toute heure du jour et de la nuit, sept jours par semaine dans la plupart des cas». Par ailleurs, toujours selon le document du MAS, l'action communautaire n'est pas une fin mais un moyen au service des objectifs spécifiques du CLSC qui, de ce fait, «s'accommode mal d'une organisation où les animateurs communautaires sont regroupés dans un module distinct». Par contre, «on ne peut concevoir un CLSC sans la présence de médecins et le rôle des médecins dans les CLSC ne se limite pas à la prévention, mais englobe également et au premier chef les services curatifs.»

Car c'est bien là que le bât blesse. Depuis leur création, les CLSC se sont toujours heurtés au problème du recrutement de la main-d'œuvre médicale dans leurs équipes. Dans certains cas même, les médecins sont partis en claquant la porte. Et en la claquant fort. Pour les attirer dans les CLSC nouveau genre, le MAS semblerait prêt à de bonnes concessions — sans doute exigées par la Fédération des médecins omnipraticiens, qui n'a jamais caché son antipathie à des CLSC trop échevelés et pas assez médicaux. Selon donc le document du MAS, les médecins qui pratiquent en cabinet privé pourraient consacrer un certain nombre d'heures ou de jours par semaine au CLSC. «En retour, le CLSC peut offrir à ces médecins certains services tels que la disponibilité des services de radiologie et de laboratoire, etc» Ces médecins à temps partiel, d'ailleurs, ne jouiraient pas que de facilités technico-matérielles en retour de leur bonne volonté à l'égard du CLSC: ils pourraient avoir un statut de membres associés et ainsi «participer aux orientations de l'établissement».

Retour à la médecine privée dans les CLSC, qui seraient par ailleurs investis de certaines des responsabilités auparavant dévolues aux cliniques externes des centres hospitaliers, concessions aux médecins et à leurs «syndicats», abandon d'un modèle progressiste de santé au profit d'un modèle traditionnel de maladie, trahison même de la vocation profonde des CLSC: le «coup de barre à droite», disent les plus pessimistes ou les plus réalistes, est bel et bien en train d'être donné dans ce qui faisait le meilleur de la réforme en cours. «Il est sûr, dit Nicole Martin, que nous nous orientons vers des CLSC plus rescapeurs de besoins immédiats non satisfaits, notamment dans le domaine des personnes âgées ou dans celui des handicapés physiques. Il est sûr aussi qu'il nous manque quelque chose de fondamental dans les CLSC: les médecins. En accélérant le processus d'implantation des CLSC de façon à rendre les services disponibles au plus grand nombre, nous risquons peut-être de perdre un peu de

LES INSTITUTIONS EN CAUSE

l'approche globale, de sacrifier un changement qui aurait peut-être eu lieu à long terme, mais qui n'est guère perceptible pour le moment. »

Cela dit, même marginaux, même blackboulés de temps à autre par le ministre ou par le ministère, les CLSC demeurent, dans leur diversité parfois extrême, une expérience des plus importantes à suivre. Selon qu'ils s'affirmeront en effet comme ces «petites écoles de la santé» dont parlait le journaliste Jean-V. Dufresne, ou comme ces polycliniques publiques pour exercice privé de la médecine traditionnelle qu'entrevoient déjà certains, les CLSC auront ou non ouvert une avenue nouvelle en matière de santé. Mais de cela, et des voies qu'ouvriront peut-être de leur côté les DSC, nous en reparlerons plus loin. Quand nous regarderons comment et où peut s'engager le combat pour la santé.

LES ENTREPRISES PRIVÉES

Dernier type d'institutions intéressées — ô combien — au système de lutte contre la maladie: les compagnies privées. Notre propos ne sera pas de fouiller ici le dossier de tous les intérêts qui font leurs choux gras avec ce qu'on appelle la santé de la population, loueurs de draps de lit ou polycliniques de médecins, vendeurs d'appareillage médical ou fournisseurs de services de tous genres. La liste serait longue. Nous jetterons simplement un regard rapide sur l'un des partenaires privés les plus présents dans le décor: l'industrie du médicament.

Industrie, disons-le tout de suite, qui est d'abord, avant tout et essentiellement multinationale. Des chiffres rapportés par la Commission Hall en 1964 — elle avait étudié les services de santé à l'échelle du Canada — montrent qu'à cette époque déjà, plus du tiers des compagnies pharmaceutiques installées au Canada étaient contrôlées par des intérêts étrangers, américains pour la plupart. Des 57 membres de l'Association des fabricants de produits pharmaceutiques canadiens qui vint témoigner devant cette commission royale, 7 seulement étaient identifiés comme canadiens. Fait plus important encore: selon une étude du ministère fédéral de la Santé, plus de 90% du marché canadien du médicament est entre les mains des compagnies étrangères et les auteurs du rapport ajoutent que dans ce domaine, «on pourrait même aller jusqu'à dire que le marché canadien n'est qu'une simple extension du marché américain». Les petits 10% restants, occupés par des compagnies canadiennes, le sont environ à moitié par des compagnies dites «éthiques» (elles vendent des produits de marque et se retrouvent surtout au Québec) et à moitié par des compagnies qui vendent des produits sous leur nom générique, sous leur dénomination commune (on les retrouve surtout en Ontario). Les compagnies québécoises réalisent environ 80% de leur chiffre d'affaires au Québec et n'occupent guère plus de 10% de la part canadienne du marché du médicament.

L'industrie du médicament se présente comme une industrie qui fait beaucoup de recherche. La question est controversée. Qu'est-ce qui est de la recherche? Qu'est-ce qui est du développement? Qu'est-ce qui est du contrôle de qualité? Les réponses sont souvent hasardeuses... Dans *Les trusts du médicament*, Charles Levinson estime que les multinationales consacrent environ 8% de leur chiffre d'affaires à la recherche et au développement, mais que le cinquième seulement de ces budgets est consacré à la recherche de base[10]. Au Canada, royaume des filiales, les témoignages recueillis sur le sujet varient entre le «très peu» et le «pas du tout». Selon l'Association canadienne de l'industrie du médicament, l'ACIM, le budget R&D équivaudrait à 6,8% du chiffre d'affaire des compagnies. Selon les chiffres produits devant la Commission Hall par contre, le pourcentage en question serait de 2,1% des ventes des compagnies qui font de la recherche. Plus généreuses cependant sont les sommes englouties dans la publicité. Des études «raisonnables» les estiment au bas mot à 15% du chiffre d'affaire des compagnies: au minimum, le double des sommes affectées à la R&D. Selon les chiffres cités devant la même Commission Hall, le total des dépenses de démarchage auprès des médecins, de représentation et de vente directe s'élevait, pour 40 firmes importantes, à 29,2% de leur chiffre d'affaires — ce qu'il faut rapprocher des 2,1% consacrés à la R&D.

Pour ce qui est des bénéfices, là plus qu'ailleurs, les «fourchettes» sont larges entre les chiffres cités par l'industrie et ceux que rapportent ses détracteurs: 6,5% du chiffre d'affaires, disent les compagnies; 15 à 20%, rétorque Levinson qui rappelle que le caractère multinational de ces entreprises permet de jouer avec certains coûts. De filiale en filiale, on se revend à soi-même sa propre camelote en prenant bien soin de réaliser un bénéfice énorme dans un paradis fiscal ou un autre. Ajoutez à cela que les fabricants contrôlent eux-mêmes la plus grosse partie de la distribution aux détaillants (les grossistes n'ont que 40% du marché canadien), et vous vous ferez

10. LEVINSON, Charles, *Les trusts du médicament*, 1974.

finalement une assez bonne image de cette industrie dont tous les membres, pour reprendre une publication de leur Association, sont fermement convaincus qu'ils «jouent un rôle d'utilité publique et que toutes leurs activités sont liées à ce rôle»...

8.
LE FONCTIONNEMENT DU SYSTÈME

Une chose est certaine, qui a été dite et redite à de multiples reprises: nos systèmes de soins de santé coûtent cher, très cher même. Nos sociétés y engloutissent, d'année en année, une part toujours plus considérable de leur produit national. Les hôpitaux, avec leurs dimensions de gigantesques usines à malades, prennent des allures de monstres budgétaires. Les cabinets privés, dans la pratique en solo ou dans celle de groupe, font figure de cimetières à dollars publics. Bref, la cause est entendue: la maladie a un coût et la santé un prix.

Tout le débat porte pourtant sur la question de savoir si ce prix est normal, acceptable, ou s'il est trop élevé. S'il faut laisser aller les choses, puisque après tout elles n'iraient pas aussi mal qu'on le dit, ou couper les dépenses et rogner les budgets. Les tenants du titre et autres champions du curatif agitent sous les yeux des mécréants l'épouvantail des infarctus qui ne manqueront pas de les assaillir ou celui des cancers qui peut-être les rongent déjà; médecin et rédacteur adjoint de *La Vie médicale au Canada français*, C.A. Martin déverse sa bile sur tous ceux qui osent douter d'Esculape: «Maudite médecine, écrit-il en éditorial du numéro de mai 1976, dont ni Mességué, ni Illich, ni Michaud, ni Desfossés, ni Morgentaler, ni Uri Geller, ni Randi, ni les journalistes scripto-audio-visuels ne pourront se passer, au moins pour la signature de leur certificat de décès. » En face d'eux, leurs challengeurs montent sur le ring pour lutter contre la médicalisation envahissante de la vie, contre les faux bienfaits de la super-technologie institutionnalisée et contre les vrais méfaits de la surconsommation de services thérapeutiques et de médicaments ; ils critiquent et accusent publiquement, brassent des histoires peu reluisantes de conscience professionnelle et de gros sous, inventent même un mot, iatrogène, pour qualifier ces maladies dont les médecins eux-mêmes sont la cause. Et s'il peut exister, ô suprise, de telles maladies iatrogènes, pourquoi ne pas parler aussi de problèmes de finances iatrogènes, de déficits iatrogènes ?

Les grands mots sont lancés. Le système de santé, ou en tout cas prétendu tel, est-il mal administré ? Qui sont les responsables de la valse aux millions ? Lequel ou lesquels des partenaires tirent quelles ficelles dans ce grand jeu ? Qui a le vrai pouvoir, celui de dépenser et de faire dépenser ? Les médecins, dont il est bien connu qu'ils ont la castonguette un peu facile ? Les clients, heureux comme des pages depuis que tout leur semble gratuit ? Les administrateurs d'institutions, sur le bureau desquels passe la plus grosse partie de l'énorme facture ? Les fonctionnaires, ces planificateurs de travers et ces comptables d'opérette ? Les intérêts privés, entre les mains desquels aboutit et s'accumule comme par hasard une forte proportion du dollar-maladie ?

Un peu tout le monde, faut-il répondre. Car s'il est vrai que la pratique médicale influence au premier chef le genre et le coût du système, il est vrai également — comme nous le verrons plus loin — que le modèle socio-culturel de la santé et que le contexte économico-politique qui sont les nôtres en-

LE FONCTIONNEMENT DU SYSTÈME

trent eux aussi en ligne de compte dans le fonctionnement de notre système anti-maladie.

DES ENTREPRENEURS PRIVÉS

Il n'est pas besoin d'y aller par quatre chemins. Dans un système comme le nôtre, le coût de la santé est directement proportionnel au nombre de médecins en exercice. Et la pratique de ces médecins en exercice est largement influencée par des considérations de rentabilité financière. Ce qui signifie deux choses. Premièrement, le seul fait d'ajouter un autre médecin dans le circuit de la maladie fait automatiquement et substanciellement grimper la facture, à cause des coûts directs et indirects que génère sa présence sur la place publique. Deuxièmement — et compte-tenu toujours du genre de système dans lequel nous vivons —, le montant global de la facture grimpe, même si les tarifs de rémunération restent fixes et même si le nombre de médecins n'augmente pas.

Telles sont du moins les conclusions qui se dégagent des études les plus sérieuses effectuées sur la question, un peu plus de cinq ans après l'instauration du régime québécois d'assurance-maladie. Jean-Yves Rivard et André-Pierre Contandriopoulos par exemple, tous deux du département d'administration de la santé de l'Université de Montréal, viennent d'effectuer une recherche sur l'évolution du profil de pratique des médecins depuis 1971. En dévoilant les grandes conclusions de cette recherche à l'occasion du colloque de la revue *Critère,* Jean-Yves Rivard ne l'a pas envoyé dire: «Nous sommes facilement en mesure de démontrer que les incitations financières existant dans le tarif actuel jouent un rôle prépondérant dans le changement du profil de pratique des médecins depuis 1971, a notamment déclaré le chercheur. Par exemple, pour l'ensemble des omnipraticiens du Québec, nous avons calculé qu'il existe une corrélation de l'ordre de 0,85 entre le changement dans le type d'actes posés depuis 1971 et le caractère lucratif de ces actes; on se rappellera que la corrélation parfaite prendrait la valeur 1. »

Des exemples? Il n'en manque certes pas. En commençant par les trop fameuses injections de substances sclérosantes, d'efface-varices, dont le nombre a plus que quadruplé entre 1971 et 1975 (et plus que quintuplé si l'on ne tient compte que des omnipraticiens)[1]. Or, il est permis de douter et de la nécessité, et surtout de la valeur médicale d'une telle pratique qui, soit dit en passant, touche surtout les femmes: en 1974, elles ont écopé de plus de 96,5% de ces actes, à tel point que dans le groupe des femmes de 35-44 ans, il s'est donné, cette année-là, 1,7 injection par personne! Exemple marginal, répliquera-t-on pourtant. Si les injections de substance sclérosante ont coûté près de $4 millions en 1974, elles ont coûté moins de $3 millions l'année suivante, à la suite de la mise en vigueur de tarifs d'honoraires moins aguichants: les montants en jeu sont donc bel et bien marginaux, puisqu'ils ne représentent environ qu'un demi de 1% des montant totaux versés aux médecins. De plus, et même si certains d'entre eux agissent comme de véritables

---

1. QUÉBEC, Régie de l'assurance-maladie, *Effet des modifications à l'entente sur la dispensation des injections de substance sclérosante,* août 1976.

«producteurs industriels» de l'injection de substance sclérosante, cette pratique est elle aussi marginale dans la profession: moins de 400 médecins sont en cause, la diminution des tarifs intervenue en septembre 1974 en ayant incité plusieurs à se retirer du marché.

Soit. Mais d'autres faits, d'autres chiffres, d'autres données sur l'évolution de la pratique médicale depuis l'instauration de l'assurance-maladie devraient étonner, sinon inquiéter. Prenons l'exemple des visites en cabinet privé, qui n'est pas marginal puisqu'il représente à peu près le tiers de tous les services payés par la Régie de l'assurance-maladie (il y a eu 15,7 millions de visites en cabinet privé en 1975-76 et elles ont coûté $124,7 millions[2]). Ces visites peuvent donner lieu à trois types d'examens (ordinaire, complet et complet majeur), et par conséquent à trois types de facturation (5,11 et $20, tarif en vigueur avant l'entente de 1975). Ce qui devait arriver est donc arrivé: alors que le nombre d'examens à $5 est pratiquement demeuré inchangé entre 1971 et 1974, celui des examens complets a presque doublé pendant la même période (plus 84%) et celui des examens complets majeurs a plus que doublé (plus 132%). Prenons un autre exemple qu'on ne pourra pas qualifier non plus de marginal: les accouchements. En 1971, 71% des heureux événements survenant dans la Belle Province étaient catalogués sous la rubrique «accouchements et soins postpartum» et remboursés au tarif de $70, alors que 5,5% seulement d'entre eux exigeaient des «soins obstétricaux complets» à $180. Trois ans plus tard,

---

2. QUÉBEC, Régie de l'assurance-maladie, *Rapport annuel 1975-1976*, page 52.

en 1974, les Québécoises ne faisaient plus leurs enfants de la même manière, puisque la proportion des accouchements ne réclamant que des «soins post-partum» avait dégringolé à 32,5%, tandis que celle qui entraînait des soins complets était grimpée à 42,5% des cas. Avec pour résultat que malgré une diminution de quelque 1 500 accouchements au Québec entre 1971 et 1974, leur coût total avait augmenté de 46,2% — le coût par événement passant pour sa part de $87,50 à $130.

Il serait sans doute assez facile, en décortiquant encore plus les statistiques publiées par la RAMQ, de trouver d'autres exemples aussi frappants de cette tendance à une pratique constituée d'actes de plus en plus coûteux. Qu'on se contente d'une dernière donnée, plus globale mais également plus significative: le coût moyen d'un acte est passé, de 1971 à 1974, de $8,45 à $8,86 — malgré le fait que les tarifs d'honoraires n'aient pratiquement connu aucun ajustement à la hausse[3]. Ce genre d'augmentation, note l'économiste Daniel Larouche, «correspond à une auto-indexation de revenus que s'autorisent les médecins[4]».

Il faut d'ailleurs ajouter que le médecin n'a pas seulement la liberté de déterminer le genre d'actes qu'il va poser — ou en tout cas facturer. Il a aussi celle de déterminer leur nombre ou leur quantité. Dès que le poisson moyen a mis le bout de la petite nageoire dans l'engrenage, il risque d'y passer tout entier, impuissant qu'il est à contrôler un niveau de

---

3. QUÉBEC, Régie de l'assurance-maladie, *Statistiques annuelles 1974*, page 70.
4. LAROUCHE, Daniel, «Cinq ans d'assurance-maladie: cinq pas vers une santé meilleure?», *Critère*, juin 1976.

consommation de services pour lesquels de toutes façons il n'a rien à débourser, directement du moins. Yves Martin, recteur de l'Université de Sherbrooke, connaît bien la musique pour avoir été le second président et directeur-général de la RAMQ, le plus «social» de ceux qui aient occupé le poste. «Les médecins, écrit-il dans *Critère,* sont aujourd'hui, à toutes fins pratiques, les seuls agents économiques qui puissent exercer un contrôle quasi absolu à la fois sur la production et la consommation des services pour lesquels ils sont rémunérés — et par le fait même, en tant que producteurs, sur les comportements des consommateurs de leurs services[5].» Pour la résumer en la caricaturant à peine, la situation fait penser à ce qu'on observerait si l'on disait aux constructeurs de routes d'en construire où ils veulent, quand ils veulent, de la longueur et de la largeur qu'ils veulent — et par-dessus le marché avec de la machinerie gracieusement fournie par le gouvernement...

Sans compter que si les conséquences de tout ce petit jeu n'étaient que financières, il serait somme toute assez facile de prendre son parti de cette autre baignoire à remplir. Mais voilà le hic: ces factures, toujours plus nombreuses et plus coûteuses, semblent correspondre en bonne partie à des actes médicaux réellement et effectivement posés! Si bien que des phénomènes comme la surconsommation de médicaments ou comme la chirurgie poliment qualifiée de «non nécessaire» deviennent vite le lot de ceux qui, par malheur, par inadvertance ou par nécessité, ont mis le pied dans le système de distri-

5. MARTIN, Yves, «Du traitement de la maladie à la promotion de la santé: les conversions nécessaires», *Critère,* juin 1976, page 23.

bution-consommation de soins. Il a été question ailleurs en ces pages de cette étude de la RAMQ selon laquelle, par exemple, 1 Québécoise sur 4 n'aura plus d'utérus à 45 ans si les taux actuels d'hystérectomie se maintiennent à leur niveau actuel. Pour sa part, Jean-Yves Rivard rapporte les résultats d'une étude américaine montrant que dans chacun des 50 États, il existe une corrélation très forte entre le nombre de chirurgiens pour 1 000 habitants et les taux d'interventions chirurgicales par 1 000 habitants. Et pour revenir chez nous, il faut bien imaginer que les 26 millions de visites qui se font chaque année au Québec (en cabinet privé, mais aussi à domicile ou en institution) ne se font pas sans casser quelques œufs pharmaceutiques.

S'il est encore nécessaire de verser d'autres pièces au dossier pour montrer à quel point la pratique médicale est directement influencée par des stimulants financiers, nous citerons les résultats d'une autre étude d'André-Pierre Contandriopoulos. Selon cette étude, la répartition que font de leur temps les médecins, entre le secteur ambulatoire et le secteur hospitalier, correspond de près à l'emploi du temps idéal... pour obtenir le meilleur revenu net après impôts. Pour en arriver à cette conclusion, le chercheur a commencé par construire un modèle qui tienne compte du plus grand nombre possible de variables décrivant la pratique médicale. Puis il s'est posé la question de savoir comment le médecin devrait théoriquement s'organiser si son but était d'optimiser son revenu net: compte-tenu du temps qu'il consacre chaque semaine à soigner des patients, devrait-il se consacrer à des malades hospitalisés ou à des malades « sur pied » ? Comment devait-il répartir son temps entre ces deux catégories de « clients » ? Devait-il, par ailleurs, engager ou non du personnel paramédical et du personnel de soutien ? Réponse, d'après le modèle : le médecin devrait consacrer 30 heures de son temps au secteur ambulatoire et 18,8 heures au secteur hospitalier, le tout sans embaucher de personnel. Pratique observée dans la réalité : le médecin consacre en moyenne 29 heures à l'ambulatoire et 19,8 heures à l'hospitalier ; il a en moyenne 0,31 employé paramédical et 0,92 employé de soutien.

Et n'allez surtout pas croire qu'il tombe dans le panneau de la production à outrance : si son but en effet était d'obtenir un revenu total maximum, il subirait, toujours selon le modèle d'André-Pierre Contandriopoulos, une forte baisse de revenu net. Il lui faudrait en effet engager beaucoup de personnel et moins travailler en secteur hospitalier. Toutes choses qu'il se garde bien de faire, en homme sage et en entrepreneur privé avisé qu'il est...

LA LIBRE ENTREPRISE

Si le principe de fonctionnement de notre système de lutte contre la maladie peut bien s'expliquer en bonne partie par l'exercice de la liberté d'entreprise par un groupe professionnel précis, les médecins, quelles sont donc les modalités qui permettent à ce principe de se concrétiser dans la vie de tous les jours, patient après patient, acte médical après acte médical ?

Pour tous ceux qui réfléchissent le moindrement à la question, la réponse semble assez évidente : la carotte qui fait courir les médecins, c'est la rémunération à l'acte, le paiement à la pièce. Ce mode de rémunération, inutile de le préciser, constitue en soi une incitation non voilée à l'excès et à l'exagération — surtout quand celui qui facture est aussi celui qui décide, hors de tout contrôle ou presque, quel type de bien va être consommé et en quelle quantité il le sera. Un médecin comme Guy Saucier par exemple, qui a dirigé pour le ministère de l'Éducation l'Opération sciences de la santé, voit même dans ce mode de rémunération la négation des principes et des objectifs du rapport Castonguay, dont pourtant est sorti l'actuel régime d'assurance-maladie. Et une étude réalisée par Jean-Yves Rivard et Thomas Boudreau (aujourd'hui sous-ministre adjoint de la Santé à Ottawa) a montré que le salariat permettrait d'atteindre les objectifs de la réforme entamée au Québec d'une façon non pas absolue mais, à tout le moins, nettement plus certaine que la rémunération à l'acte.

Yves Martin, qui a eu personnellement l'occasion d'évaluer de très près la question à titre de président de la RAMQ, écrit à ce sujet que «ce système ne favorise pas, parce qu'il y est mal adapté, le développement de secteurs de la médecine plus immédiatement orientés vers l'action préventive, notamment la médecine industrielle, la médecine communautaire, la gériatrie. La lutte entreprise et poursuivie par les fédérations de médecins contre la politique de développement au Québec de centres locaux de services communautaires n'est pas étrangère, quoi qu'elles en disent, à la protection du mode de rémunération à l'acte: or, la vocation de ces établissements est, précisément, de donner à la médecine une orientation sociale et préventive. Et l'ancien grand commis de l'État de poursuivre, sévère: Que le ministère des Affaires sociales doive composer avec les résistances de la profession médicale, on peut le comprendre; on admet moins aisément qu'il aille jusqu'à renon-

LE FONCTIONNEMENT DU SYSTÈME

cer, à toutes fins pratiques, aux objectifs politiques extrêmement valables qui justifiaient au départ l'implantation des CLSC dans l'optique des recommandations de la Commission Castonguay-Nepveu[6].» Remarque, faut-il le souligner, qui ne peut mieux tomber quand on connaît le «coup de barre à droite» que le MAS cherche à donner dans les CLSC.

Cette question du mode de rémunération à l'acte doit d'ailleurs être replacée dans le contexte plus général des libertés dont jouissent les médecins dans l'exercice de leur profession. Car ils n'ont pas seulement, il s'en faut de beaucoup, la liberté de facturer ou de s'installer où bon leur semble et dans la spécialité qui leur chante. Ils ont aussi — chose plus noble — une entière «liberté thérapeutique» autour de laquelle, pour reprendre la pensée d'un Jean-Yves Rivard, tournent tous les problèmes. On pourrait même dire que la liberté de facturer n'est qu'un des privilèges dont est assortie cette liberté thérapeutique, la grande et belle cause qui fait de la pratique médicale un royaume inaccessible au profane et à la critique, et du médecin un intouchable. Décidant du nombre et de la nature des actes à poser, décidant aussi en bonne partie du volume de la clientèle (entre autres, par la pratique généralisée de la référence des patients à des confrères plus ou différemment spécialisés), le médecin exerce un pouvoir quasi discrétionnaire dans le système. «C'est lui, dit André-Pierre Contandriopoulos, qui décide en grande partie de l'utilisation des ressources du système de santé: hospitalisation, durée de séjour, examens de laboratoire, rayons X, médicaments, etc. On estime qu'en-

6. MARTIN, Yves, *ibidem* page 28.

viron 80% des coûts du système de santé dépendent principalement des décisions des médecins et 20% des décisions des patients.»

Phénomène que vient amplifier, pour ne pas dire aggraver, le fait que les médecins exercent à peu près en dehors de tout contrôle et à l'abri des risques de toute évaluation de leurs connaissances, de leurs compétences et de leur pratique de tous les jours, une fois bien entendu passés les examens de qualification qui donnent accès à la profession. La Régie de l'assurance-maladie exerce bien des contrôles, dira-t-on: mais ils ne portent que sur la quantité des actes facturés et ne peuvent guère que permettre de repérer les profils de pratique les plus aberrants, les plus spectaculairement et maladroitement exagérés. La Corporation des médecins commence bien à surveiller la qualité de la pratique en cabinet privé et des mécanismes existent également en milieu hospitalier pour ce faire. Mais dans ces cas comme dans le cas des contrôles exercés par la RAMQ, ce sont des médecins — des confrères — qui sont chargés de les effectuer; le vieux principe selon lequel un médecin ne peut être jugé que par ses pairs a vraiment la vie dure.

Autre aspect de la liberté sans bornes des médecins dans le système tel que nous le connaissons aujourd'hui: la possibilité qu'ils ont d'exercer dans le centre hospitalier et dans autant de centres hospitaliers qu'ils veulent, sans pour autant avoir le moindre *cent* de redevances, de royautés ou de droit d'entrer à payer pour jouir de tels privilèges. Il leur suffit, pour entrer dans l'institution, d'obtenir l'assentiment de cet État dans l'État que représente le Conseil des médecins et dentistes de l'établissement (les confrères, les pairs, encore une fois). On a vu en effet que la Loi 65 elle-même stipule que «tout refus de candidature doit être motivé et se fonder uniquement sur des critères de qualification, de compétence scientifique ou de comportement»; un arrêté en conseil adopté en vertu de cette même loi précise de plus en toutes lettres qu'«une candidature ne peut être refusée pour le motif que le centre hospitalier ne dispose pas d'un nombre de lits suffisants» et que par ailleurs «un médecin ou dentiste peut-être membre actif de plus d'un centre hospitalier».

On a déjà fait mention, au chapitre précédent, des conséquences financières d'une telle politique de portes ouvertes: chaque médecin jouissant de privilèges complet dans un hôpital y génère en moyenne $150 000 de dépenses de toutes sortes dans l'année, sans compter les revenus qu'il tirera pour lui de l'assurance-maladie. Et selon des études fort poussées dans le domaine de l'administration hospitalière québécoise, le libre accès des médecins aux centres hospitaliers — cette espèce d'inflation de la main-d'œuvre médicale — jouerait un rôle non négligeable dans les facteurs explicatifs de la croissance des dépenses à laquelle on a assisté depuis quelques années.

LES COUPURES AVEUGLES

Rémunération à l'acte, libre accès des médecins aux hôpitaux et, de façon plus globale, très large autonomie laissée à la profession médicale: décidément, la libre entreprise est reine au royaume de la maladie et au paradis de la consommation effrénée des soins de «santé». Au rythme où vont les choses et où s'envolent les dollars, estiment des observateurs goguenards, c'est bientôt tout notre produit national brut qu'il faudrait engloutir dans les services sanitaires. Absurde? C'est vrai. Mais où, et comment, mettre les freins?

La machine, en effet, est énorme. Ses rouages sont complexes. Et s'il est vrai qu'elle est lancée à une vitesse vertigineuse sur la voie de l'expansion, il est vrai aussi qu'elle continue de tenir encore assez bien la route. Et que vouloir lui faire prendre une nouvelle direction semble aussi périlleux que malaisé — même si un nombre toujours plus grand de passagers commence à ressentir que cette réorientation, il faudra la tenter, quoi qu'il arrive, un jour ou l'autre! Les oreilles les plus fines perçoivent de plus en plus fréquemment des ratés dans le moteur...

Ce virage vers la santé que devra, que doit prendre notre gros système anti-maladie, nous y reviendrons dans les chapitres ultérieurs. En attendant, c'est un autre aspect de son fonctionnement présent qu'il nous faut scruter: les récentes tentatives gouvernementales de limiter les dégâts monétaires, de contrôler quelque peu une facture qu'on payait sans jamais discuter — et bien souvent sans même recompter l'addition. On connaît les événements: soucieux de ralentir la croissance trop fringante des dépenses de santé et contraint de trouver des sous quelque part dans les 3 milliards de dollars de son budget, le ministère des Affaires sociales annonce qu'il va réajuster le tir et couper ou restreindre les fonds. Et que les cibles seront les hôpitaux. Ils coûtent de véritables petites fortunes, allègue-t-on au ministère, et n'ont pas trop à se plaindre puisqu'ils ont connu leurs belles années d'expansion. De fait, ce que le MAS ne dit pas trop haut, c'est que force lui est de s'aligner sur les positions du ministère fédéral de la Santé, qui a décidé, dans la foulée du

LE FONCTIONNEMENT DU SYSTÈME

rapport Lalonde et des mesures anti-inflation, de ne plus participer sans conditions au règlement du coût de services sur lesquels il n'a pas grand droit de regard: les dépenses de santé provinciales. Le ministère canadien, en effet, ne paiera plus aveuglément la moitié de la note des hôpitaux, comme il le faisait jusqu'à maintenant; il désire investir de moins en moins dans les soins curatifs et de plus en plus dans les programmes préventifs. Et que les provinces s'alignent! Le ministère québécois, qui se coltine avec les problèmes concrets de la vie de tous les jours, administrativement parlant bien entendu, va donc s'attaquer aux budgets qu'on a dit — ce qui, soit dit en passant, n'est pas la même chose que réussir à diminuer les dépenses réelles...

Faut-il donc se féliciter des «coupures» imposées par le MAS aux centres hospitaliers? Ne permettent-elles pas, pour la première fois, de s'attaquer véritablement au problème de l'expansion illimitée du coût de la maladie? De freiner les investissements dans le panier percé des services curatifs?

Les choses ne sont pas aussi claires qu'on le voudrait. On a vu que les coûts du système de distribution de soins étaient conditionnés par le type de pratique médicale dont nous «bénéficions» actuellement. Et l'étaient en particulier par deux aspects de cette pratique: la rémunération à l'acte d'une part, et d'autre part le libre accès des médecins aux centres hospitaliers. Les coupures budgétaires s'attaquent-elles à ces problèmes? Certainement pas. Sans chercher à ironiser trop facilement, on pourrait même dire que le ministère, victime de contagion par le modèle médical traditionnel, fait du curatif sans s'en apercevoir. Il effectue la soustraction sans essayer de savoir ce qui faisait l'addition, il pratique l'intervention chirurgicale sans se demander si elle est devenue nécessaire, ni si l'on ne pourrait pas essayer d'autres thérapies, ni pourquoi la situation en est arrivée là. Plus sérieusement, le coup de barre que le MAS veut donner dans les CLSC va même à l'inverse de toute volonté de s'orienter réellement vers des horizons plus neufs en matière de santé: c'est vers une ouverture plus grande encore des établissements publics à la médecine privée et vers une plus grande consommation de soins curatifs qu'on semble bien s'en aller dans les centres locaux de services communautaires aussi.

Si l'action du MAS ne s'attaque en rien à la partie du mal qui réside dans la pratique médicale, si elle ne touche ni à la rémunération à l'acte ni au libre accès aux centres hospitaliers, elle passe à plus forte raison complètement à côté de la dimension socioculturelle des problèmes. Car il ne faut pas se le cacher: notre représentation collective de la santé — une absence de maladie — et des soins de santé — un bien de consommation parmi d'autres —, cette représentation collective donc explique elle aussi la propension du public à recourir toujours davantage au système de lutte contre la maladie. Non pas que la pratique médicale soit étrangère à cette image, à cette conception de la santé: elle la façonne au contraire dans une large mesure, au travers par exemple de grands spectacles technologiques comme les transplantations cardiaques et autres greffes d'organes.

Mais la demande du public pour une médecine qui répare et qui marche, qui retape et qui réussisse, qui élimine la douleur et qui sauve des vies, en un mot la demande de curatif est elle aussi très forte. Ce phénomène, à son tour, influence et modèle l'offre, c'est-à-dire la pratique médicale. D'ailleurs, l'argument derrière lequel le médecin se réfugie le plus volontiers, c'est bien cette demande du public, cette pression de la clientèle à obtenir de lui une intervention techniquement efficace, que ce soit sous forme de médicaments, d'opérations chirurgicales ou autres. Tant et aussi longtemps que prévaudra cette représentation socio-culturelle de la santé, tant et aussi longtemps qu'on ne cherchera pas à la modifier sensiblement, la production et la consommation massive de services curatifs resteront des comportements largement majoritaires dans nos sociétés. Et vouloir en diminuer le niveau du jour au lendemain ne touchera finalement qu'une catégorie de personnes : celles qui en ont véritablement besoin et qui ne peuvent pas aller se les payer dans le secteur officiellement privé de la production des services.

Plus globalement encore, c'est dans son contexte économique, politique et idéologique qu'il convient de replacer toute cette question du fonctionnement du système anti-maladie, de la pratique médicale, de la représentation collective des choses de la vie et de la santé. Le fond du problème est bien là. Dans un tel contexte en effet, la santé est la propriété privée et la responsabilité individuelle de chacun, pas l'affaire collective du groupe. De son côté, la maladie est considérée comme un phénomène isolé, coupé de la réalité socio-économique, du milieu, de l'environnement. Et la lutte contre la maladie, comme n'importe quelle autre activité, doit relever principalement de l'entreprise privée, l'initiative publique lui étant subordonnée et ne devant jouer qu'un rôle de suppléance, en matière de financement et de gros sous notamment. Or, on sait que dans le contexte économique et politique dans lequel nous vivons, il faut que l'entreprise privée produise toujours plus de biens et de services pour atteindre les objectifs fondamentaux qui sont les siens, à savoir le profit et l'accumulation du capital.

Appliqué au domaine de la santé, cet impératif de production entraîne l'émergence, puis la prédominance d'un modèle médical fondé sur la consommation massive de soins de plus en plus spécialisés, d'examens de plus en plus raffinés, de médicaments de plus en plus perfectionnés — bref, de services curatifs faisant appel à une technologie de plus en plus sophistiquée et coûteuse. Ce modèle médical très largement dominant dans nos sociétés, un sociologue de l'Université de Montréal, Marc Renaud, l'appelle «le modèle engineering de la médecine». Il explique que ce modèle est en fait le seul qui soit réellement compatible avec les impératifs de la croissance industrielle capitaliste: ne remettant pas en question, bien au contraire, les producteurs privés de biens et de services médicaux, la médecine engineering ne s'attaque pas non plus aux vraies causes et aux vrais coupables, en éludant par exemple le problème des conditions sociales et des conditions de travail dans et avec lesquelles doit vivre la population.

Marc Renaud, nous en reparlerons plus loin, montre à partir de ces considérations ce que l'État peut faire et ce qu'il ne peut pas faire en matière de santé dans nos sociétés capitalistes libérales. Qu'on se contente pour l'instant de préciser, si besoin en est encore, que les actuelles coupures budgétaires dans les centres hospitaliers n'ont à peu près rien à voir avec un désir quelconque de changer quoi que ce soit au contexte économico-politique dans lequel nous vivons et qui pourtant explique, en dernière analyse, le fonctionnement de notre système de lutte contre la maladie. Au contraire, de telles politiques risquent de retomber encore une fois sur le dos d'un des partenaires du système dont il n'a pratiquement pas encore été question ici: le citoyen-consommateur-payeur de taxes, ce laissé pour compte, cet absent qui a toujours tort, celui par-dessus qui se prennent les décisions et contre qui fonctionnent les intérêts privés grands et petits. En «coupant» en effet dans certains services curatifs auxquels on l'avait habitué et dont il a souvent un réel besoin, sans pour autant développer d'alternatives sérieuses dans le secteur préventif, on joue tout bonnement à lui enlever d'une main ce qu'on ne lui rendra pas de l'autre...

9.
LA FORMATION
ET LA RECHERCHE
EN SCIENCES DE LA SANTÉ

C'est devenu un secret de polichinelle: les professionnels de la santé sont au cœur des maux de notre système de distribution de soins. Médecins, ils pratiquent avec plus d'empirisme que de science un art dont les effets bénéfiques ne sont pas toujours évidents; ils s'attaquent à des symptômes, au mieux à des causes immédiates, sans chercher ni dénoncer les causes profondes des maladies; de plus, ils coûtent aux contribuables aussi cher que douteuse est l'efficacité de leurs interventions. Pharmaciens ou dentistes, physiothérapeutes ou orthophonistes, ils s'installent où bon leur semble et où bien leur rapporte, dans les grandes villes presque uniquement. Employés d'hôpitaux, leur syndicalisme parfois un peu gourmand et leur employeur souvent bien chiche les poussent à des grèves la plupart du temps impopulaires.

Ce sont pourtant les médecins qui se retrouvent le plus souvent sur l'inconfortable sellette des remises en question publiques. Leur position dans le système et les privilèges qu'ils y ont acquis en font en effet un groupe-clé, pour ne pas dire un groupe-cible. Sans eux, c'est évident, pas de médecine — bonne ou mauvaise, essentielle ou superflue, socialement rentable ou économiquement ruineuse.

Aussi certains pensent-ils que la solution aux problèmes qui nous affligent, c'est en bonne partie au niveau de la formation de « nouveaux médecins » qu'elle réside. C'est-à-dire d'hommes et de femmes qui puissent pratiquer une « nouvelle médecine », plus globale que parcellaire ou spécialisée, plus sociale qu'individuelle, plus préventive que curative, bref, plus axée sur la promotion de la santé que sur la maintenance de la maladie. C'est donc du côté de la formation des médecins qu'il faut maintenant tourner notre attention, en nous demandant notamment si nous nous donnons bien le type de professionnels dont nous aurions réellement besoin.

LA FORMATION DES MÉDECINS

L'Opération sciences de la santé, l'OSS, qui a étudié pendant trois ans les problèmes de formation dans ce domaine, n'y va décidément pas avec le dos de la cuiller. Sous le vernis poli dont les auteurs de ce genre de rapport doivent enjoliver leur prose, on découvre des jugements assez sévères[1]. Le recrutement des étudiants en médecine favorise les plus besogneux des diplômés de CEGEP, les machines à apprendre, les forts en maths[2], toutes « qualités » qui ne sont pas nécessairement celles dont devra plus tard témoigner dans sa pratique de tous les jours le médecin moyen. De plus, le programme de premier

---

1. QUÉBEC, Ministère de l'Éducation, en collaboration avec le ministère des Affaires sociales, *Rapport de l'opération sciences de la santé,* avril 1976.
2. Ou plus exactement les plus fortes en maths, puisqu'on constate que les filles réussissent mieux (et plus jeunes) que les garçons au genre d'épreuves imposées pour la sélection des étudiants en médecine.

cycle en médecine est ensuite si vaste et si complexe, la quantité d'informations à ingurgiter est si énorme, que les activités de formation intellectuelle à proprement parler et de réflexion en profondeur sur les vrais problèmes doivent être escamotées. Ajoutez à cela le fait que les objectifs des programmes de formation sont plutôt mal définis et vous aurez une assez bonne idée du diplômé, du M.D., qui sort après quatre ou cinq ans de nos facultés de médecine: un professionnel, pour reprendre les mots de l'OSS, qui ne fait jamais que répondre à «la définition passe-partout du bon médecin».

Il y a bien sûr quelques nuances à apporter: par exemple, les facultés de médecine francophones (le cas de McGill est bien sûr particulier, qui n'accepte depuis toujours en médecine que des étudiants qui ont déjà fait d'autres études universitaires) commencent à accepter des candidats autres que les purs produits du CEGEP étroitement scientifique et pour lesquels le prérequis est d'avoir réussi à des études universitaires, sans précision de discipline ou de spécialité. C'est un premier pas dans le bon sens. Mais il n'en demeure pas moins vrai, comme le dit Guy Saucier, endocrinologue au Centre hospitalier de l'université Laval et président de l'OSS, que «le premier cycle en médecine n'est pas mauvais, mais pas excellent non plus; on est sûr que tout détenteur d'un diplôme de M.D. a vu le minimum essentiel d'éléments dans chaque matière; mais on est sûr aussi que pour passer du bon à l'excellent, il faudrait investir beaucoup plus qu'actuellement dans les ressources humaines.»

Quant à l'internat, cette année de «pratique encadrée» que doit faire le diplômé en médecine pour obtenir son permis de pratiquer, le moins qu'on puisse en dire est qu'il n'est ni très bien ni très clairement structuré. «Ce n'est certainement pas une année perdue, explique Guy Saucier. Mais c'est sûrement une année de flottement au cours de laquelle les expériences, selon les individus, vont du meilleur au pire. Certains étudiants se révèlent d'une façon étonnante pendant leur internat; d'autres ne font jamais que subir une succession de stages dont ils ne tireront pas un profit suffisant.»

C'est d'ailleurs à l'endroit des stages — en médecine comme dans toutes les professions de la santé — que le rapport de l'OSS a les mots les plus durs: «L'espoir de voir des candidats compléter leur formation par une pratique à peine supervisée et affublée du nom d'internat est un mirage dangereux», lit-on dans le rapport qui parle également de «fouillis». «Les stages cliniques forment une image kaléidoscopique très hétérogène: la grande majorité se situe à l'hôpital, les périodes de stage sont variables, le monitorat peut être omniprésent ou nul, les objectifs sont rarement précisés, le statut des stagiaires est souvent nébuleux et leur rémunération varie de 0 à $15 000 par année selon les programmes, les niveaux et même selon les écoles.» Bref, et c'est toujours le rapport de l'OSS qui décrit la situation de l'ensemble des stages dans les programmes universitaires en santé, nous sommes devant «un cafouillis inextricable, une complexité désarmante, une désorganisation exemplaire». Aussi n'est-il pas étonnant de constater que même si la proposition de définition de ce que devrait être un stage clinique a été bien reçue dans le milieu, ce n'est pas demain matin qu'elle pourra être mise en application: «intégré à un programme, souhaite l'OSS, le stage devrait comporter des objectifs précis de savoir, de savoir-être et de savoir-faire dans un contexte de responsabilités graduées; il devrait se dérouler sous la surveillance réelle de professeurs et de moniteurs et comporter une évaluation formelle.»

Car pour en revenir à l'internat, il n'existe à peu près pas d'évaluation des progrès ni d'examen final à l'intention d'étudiants pour lesquels, de toutes façons, le diplôme est déjà acquis: «Le taux d'échec à l'internat n'est pas connu, dit le rapport de l'OSS, mais il est sûrement très bas selon l'expérience des enseignants cliniciens; en fait, l'internat ne représente guère une barrière ou un filtre pour décider soit de la compétence à pratiquer de façon autonome, soit de la capacité à entreprendre des études spécialisées.»

C'est pourtant après leur internat que les étudiants peuvent choisir une résidence qui, après quatre ans en général, leur donnera un diplôme de spécialiste. On s'attendrait donc, même si les études de premier cycle ne sont que bonnes et l'année d'internat plus ou moins sérieuse, à ce que les programmes de résidence soient, eux, très solides. Et ce d'autant plus que depuis 1970 — et c'est une primeur en Amérique du Nord —, ce sont les universités qui ont l'entière responsabilité de ces programmes au Québec. La formation des médecins spécialistes comporte-t-elle donc de hautes exigences scientifiques? Il est surprenant de constater, avec l'OSS, que tel ne semble pas être le cas. «En général, lit-on dans le rapport, les programmes universitaires de résidence ressemblent plus à des descriptions de stages qu'à une définition claire d'un programme avec des objectifs opérationnels. La formation scientifique et les cours formels sont peu abondants ou non indiqués et les ressources professorales sont diffuses et confondues aux ressources hospitalières.» En d'autres termes, cette main-d'œuvre bon marché que sont les résidents passe quatre années à apprendre de patrons un

LA FORMATION ET LA RECHERCHE
EN SCIENCES DE LA SANTÉ

savoir-faire pratico-pratique, beaucoup plus qu'à apprendre de maîtres un savoir comme tel. C'est un métier qu'ils acquièrent et pas vraiment une science, une habileté et pas une connaissance, sauf bien sûr dans le cas des meilleurs d'entre eux, qui font durant ces années de la recherche clinique et qui deviendront professeurs par la suite.

On le voit donc bien: la formation des médecins — ces «docteurs» qui justement n'en sont pas — n'est pas nécessairement d'un niveau mirobolant. Le demi-dieu profondément sensible aux problèmes de l'homme et doué d'une compétence scientifique à toute épreuve, ce Marcus Welby sans peur et sans reproche qui aurait décroché un prix Nobel, ce médecin de caricature dont on nous rebat les oreilles, n'est pas le produit automatique de nos facultés de médecine. Ce n'est bien sûr pas là un reproche: c'est tout juste une question de réalisme, une façon de tempérer l'image surfaite et l'aura de prestige dont s'entoure la profession. Car il faut dire, de plus, que bien d'autres problèmes subsistent dans cette question de la formation des médecins. La durée et le contenu des programmes sont encore fort disparates d'une université à l'autre, ce qui laisse bien peu de place à une évaluation systématique de leur qualité. Les modes de sélection des candidats à l'entrée en faculté de médecine — les heureux élus ne représentent qu'une proportion de 1 sur 5 par rapport à ceux qui font des demandes d'admission — favorisent les sujets brillants du point de vue scolaire (et issus de familles de médecins, ajoutent les mauvais esprits), ce qui a pour effet d'une part d'éliminer les autres «profils» d'étudiants, et d'autre part de remplir les facultés d'une forte proportion de futurs très jeunes médecins: en première année de médecine, c'est presque 9 étudiants sur 10 qui ont moins de 20 ans. L'attrait des nourritures terrestres que fait briller la castonguette et, simultanément, les limitations apportées dans le financement de la recherche bio-médicale commencent de leur côté à faire sentir leurs effets : c'est vers une pénurie de scientifiques médecins et de professeurs que nous allons.

Il existe par ailleurs encore certains autres problèmes spécifiques à la formation des spécialistes : il y a environ 2 800 postes de résidents dans les hôpitaux québécois (presque la moitié de tous les postes disponibles au Canada) ; « ce nombre, dit l'OSS, ne semble pas en relation avec les besoins du Québec en spécialistes, mais davantage avec l'enthousiasme ou les besoins des patrons. » Ces multiples postes sont répartis ici et là dans les nombreux hôpitaux universitaires, même si « le fait de maintenir un éventail complet de programmes isolés dans les quatre facultés constitue un risque pour la qualité de l'enseignement et représente un coût prohibitif ». Heureusement, note cependant Guy Saucier, le « saupoudrage » des résidents devrait normalement diminuer grâce à des reconcentrations, à Québec et à Montréal notamment. Autre point à signaler : l'absence complète, en cours de résidence, d'évaluation des candidats, ce qui entraîne un fort pourcentage de mauvaises surprises, d'échecs pour dire le mot, aux examens terminaux de la Corporation des médecins du Québec (27% en 1973) ou du Collège royal des médecins du Canada (la reconnaissance canadienne n'est pas nécessaire pour l'obtention du certificat de spécialiste, mais procure un supplément de prestige à ceux qui l'obtiennent).

Autre problème global : celui de la formation continue, du recyclage des membres de la profession médicale. Pour le dire en clair, l'enseignement per-

LA FORMATION ET LA RECHERCHE
EN SCIENCES DE LA SANTÉ

manent est à toutes fins pratiques inexistant chez les médecins. Non pas qu'il n'y ait pas d'initiatives ou de programmes en ce sens; mais la consommation annuelle en est plutôt faible. « Le Collège des médecins, dit Guy Saucier dans son langage imagé, le Collège a toujours eu un rôle punitif: élaguer la profession en enlevant de ses rangs les fous, les soûlons et les malhonnêtes; c'est bien, mais ce n'est pas une façon d'améliorer positivement la pratique médicale et la santé de la population... » Aujourd'hui, il est vrai, le vent est plutôt au changement. L'Office des professions a nommément donné aux corporations la responsabilité de la compétence professionnelle de leurs membres, et la Corporation des médecins a entrepris en 1975 l'inspection systématique des praticiens, y compris de ceux qui exercent en cabinet privé. Plus même, la bataille pour le contrôle de la formation continue bat son plein actuellement: tout le monde cherche à s'en emparer, la Corporation parce que telle est sa mission, les fédérations parce que tels sont leurs intérêts, les universités parce que telle est leur vocation; inutile aussi de préciser que tout le monde cherche à refiler la note au voisin...

Finalement, on peut se demander si le fossé n'est pas très large et très profond, entre le médecin « global » de ce que d'aucuns appellent « le rêve Castonguay » et le médecin que produisent actuellement les universités québécoises. Entre le médecin humain, tourné vers les gens et les problèmes de santé publique, et ce professionnel de la maladie formé sur les cas graves qu'il rencontre durant ses stages dans les hôpitaux. Entre le médecin ouvert à la problématique de la santé, qui est une problématique de groupes, de masse, de société, et le médecin limité à la problématique de la maladie, qui est une problématique de cas, d'individus, de sujets isolés. Entre le médecin qui voit la dimension environnementale et sociale de la maladie, et celui qui se limite à chercher la cause immédiate, étroitement biologique ou psychique, d'une lésion qu'il doit réparer.

«Le fossé existe, reconnaît Guy Saucier. Mais je crois qu'il est seulement temporaire. Il y a, de plus en plus, une volonté réelle, dans les universités, de former ce nouveau type de médecins dont plusieurs commencent de ressentir le besoin. Le problème, toutefois, est de créer de toutes pièces les lieux et les milieux de formation qui répondent à ces nouveaux besoins. Il est sûr par exemple que dans le domaine de la médecine familiale, on n'a pratiquement aucun milieu de stage à offrir aux étudiants.»

Heureusement, les habitudes se modifient petit à petit; il n'y a pas si longtemps, la formation se faisait à 100% en milieu hospitalier; aujourd'hui, une toute petite mais quand même encourageante proportion de cette formation — 4 ou 5% peut-être — se fait en milieu ambulant; dans cinq ou dix ans, on atteindra peut-être le stade des 25%, ce qui serait un énorme progrès...

Mais le passage de l'idéologie traditionnelle de la maladie individuelle à la vision collective de la santé ne se fera que très lentement, si bien sûr il se fait. La santé publique évoque encore la vieille image de la médecine publique des années 20 ou 30 qu'une expression de salle de garde décrit avec une verdeur fortement expressive: la «médecine des chiottes et des vaccins». La pente est longue à monter ou à remonter, et ce n'est donc pas tout de suite qu'on va pouvoir former, du moins en quantités significatives, les nouveaux médecins de la nouvelle médecine.

«Les corporations professionnelles, dit encore Guy Saucier, ont tendance à reproduire d'année en année des professionnels toujours semblables à leur aînés et les universités ont tendance à emboîter le pas aux corporations... Et puis, il faut bien le reconnaître, les fonds du régime d'assurance-maladie servent encore et toujours à payer des actes thérapeutiques individuels, à soigner 400 fois si l'on veut le bobo de madame Unetelle, mais pas à rentrer dans une usine ou une école pour s'attaquer à des problèmes de santé collectifs. »

LA RECHERCHE

De nos jours, a-t-on coutume de dire, la recherche est à la fois le signe et le gage du bon développement de chacun des principaux secteurs de l'activité humaine. Qu'en est-il donc de la recherche en santé au Québec? Quelle est son importance? Vers quels problèmes est-elle surtout orientée? Qui la finance? Quel avenir a-t-elle en ces temps ici anti-inflationnaires, là post-olympiques? Les lignes qui suivent tenteront d'apporter quelques brefs éléments de réponse à ces questions.

Il faut tout d'abord constater qu'il est difficile de se faire une idée assez exacte du volume global de la recherche en santé effectuée au Québec. En 1973, le rapport Bonneau[3] estimait à $32,5 millions minimum les dépenses encourues en 1971-1972 à ce titre. Pour 1972-1973 par contre, le Conseil des politiques scientifiques fixait ce montant à $64 millions, incluant une généreuse somme de $17,6 millions au titre de la re-

---

3. QUÉBEC, Comité de la recherche scientifique, *Pour une politique de recherche en affaires sociales*, 1973.

cherche effectuée au Québec par les industries pharmaceutiques[4]. La vérité se situe sans doute quelque part à l'intérieur de cette fourchette, mais aucune étude plus récente, à notre connaissance, n'est disponible. Une chose cependant est certaine: l'université McGill se taille la part du lion dans les subventions accordées au Québec, avec 46,7% des $22,3 millions identifiés à ce chapitre en 1972-1973, même si la remontée relative de l'Université de Montréal et de l'université Laval est appréciable durant les dernières années.

Quoi qu'il en soit, un fait est particulièrement frappant: plus des trois quarts des subventions vont à la recherche bio-médicale; les chiffres datent de 1972-73, mais le pourcentage est encore aujour'd'hui sensiblement le même. Or, les besoins du côté de la recherche médico-sociale, épidémiologique et opérationnelle sont évidents: de plus en plus en effet, on prend conscience des dimensions sociales des problèmes de santé d'une part, et la mise en place d'un nouveau réseau de distributions de services nécessite d'autre part quantité d'analyses et d'évaluations. Le rapport Bonneau avait bien saisi ces besoins, qui parlait de la nécessité de «développer de façon plus équilibrée les recherches qui se situent en amont et en aval de la thérapeutique». La transformation, en 1974, du Conseil de la recherche médicale du Québec en Conseil de la recherche en santé (CRSQ) témoigne elle aussi de cette même prise de conscience; le CRSQ, d'ailleurs, cherche actuellement à mettre en œuvre un programme de développement

---

4. QUÉBEC, Conseil de la politique scientifique du Québec, *Inventaire de la recherche dans le domaine de la santé au Québec 1972-1973*, 1974.

LA FORMATION ET LA RECHERCHE
EN SCIENCES DE LA SANTÉ

d'équipes en épidémiologie et en recherche opérationnelle.

Pourtant — et c'est là un problème qui est loin d'être sans importance — ce n'est pas au niveau québécois que toutes les priorités sont établies en matière de recherche en général, et de recherche en santé en particulier. Bien au contraire. La plus forte partie des dollars, 65% environ, provient d'organismes fédéraux, notamment du Conseil de la recherche médicale du Canada. Dans ce contexte, reconnaît le chef du service de coordination de la recherche du ministère québécois des Affaires sociales, «il est toujours difficile d'orienter, de déterminer nos priorités»; Gilles Picard ajoute d'ailleurs que Québec est consulté par Ottawa dans le cas des subventions allouées par le ministère canadien de la Santé, mais que ce n'est pas le cas dans le cas du Conseil de la recherche médicale du Canada. Que le Québec ne soit pas réellement maître chez lui dans le domaine de la recherche en santé est grave à plus d'un égard. Car si Ottawa subventionne les projets qu'il choisit, c'est Québec qui assume les frais indirects de la recherche. Selon les évaluations, ces coûts indirects (salaires et bénéfices marginaux, équipements, locaux, supports administratifs et techniques divers, etc) s'élèveraient à 50, 75 ou même 78% du montant des subventions accordées aux universités ou aux équipes travaillant en milieu hospitalier. C'est donc plusieurs millions de dollars québécois qui sont ainsi «gelés» du seul fait des décisions fédérales, et ce pour des projets qui ne correspondent pas nécessairement aux priorités qu'aimeraient se donner le Québec.

Autre petit inconvénient de ce système: quand Ottawa ferme le robinet, Québec doit se mettre au régime sec. Même si, encore une fois, tels ne sont pas

213

ses intérêts du moment. La situation, soit dit en passant, est celle que nous vivons depuis l'arrivée des vaches maigres et anti-inflationnistes sur l'avant-scène de la politique économique canadienne. Jacques Genest, le directeur de l'Institut de recherches cliniques de Montréal, a même lancé un cri particulièrement alarmant au printemps 1976, quand il déclarait au *Médecin du Québec* que la recherche bio-médicale est maintenant en sérieux danger à la suite de six années de disette de fonds. «En valeur du dollar réel, précisait-il, il y a une diminution nette de l'ordre de 40% dans les fonds qui servent à la recherche.» Il signalait de plus que «depuis six ans, la perte des effectifs bio-médicaux s'établit à environ 30%, car plus de 400 chercheurs ont dû quitter les laboratoires de recherche bio-médicale par suite des coupures de budget».

La situation est d'autant plus alarmante, commente René Simard, président de l'Institut du cancer de Montréal et président du Conseil de la recherche en santé du Québec, que «la compétition devient féroce quand l'argent se fait rare, ce qui ne peut avoir pour effet que de défavoriser encore plus ceux qui au départ étaient les plus mal nantis». En d'autres mots, les coupures de fonds draconiennes décidées par Ottawa vont affecter, et dans certains cas compromettre, le développement de la recherche en santé au Québec, notamment au Québec francophone.

Il faut toutefois le dire: le ministère des Affaires sociales et le CRSQ tentent, dans la mesure de leurs moyens financiers, de limiter autant que faire se peut les dégâts. «Le MAS, explique par exemple Gilles Picard, consacre environ 0,25% de son budget à la recherche en santé, en essayant notamment de favoriser des initiatives touchant à la recherche médico-

LA FORMATION ET LA RECHERCHE
EN SCIENCES DE LA SANTÉ

sociale et opérationnelle. Nous espérons doubler ce pourcentage d'ici à quelques années, et nous sentons que le climat est favorable à cette expansion: nous ne sommes peut-être pas en période de fort développement des crédits de recherche au Québec, mais nous ne sommes pas non plus en période de diminution, comme c'est le cas à peu près partout au Canada actuellement.» De son côté, le président du CRSQ partage cet optimisme raisonné. Le Conseil, qui ne donne aucune subvention de recherche comme telle, consacre tout son budget annuel de $3 millions environ à des bourses de chercheurs, et notamment de jeunes chercheurs. Son président, René Simard, insiste particulièrement sur le million de dollars — un tiers de son budget — qui lui vient de la Régie de l'assurance-maladie du Québec; cette dernière en effet doit verser au Conseil de la recherche une somme équivalente à 0,2% des honoraires qu'elle verse tous les ans aux médecins et autres professionnels de la santé. «C'est la première fois au Canada, dit-il, que des fonds consacrés à la recherche, et à la recherche en santé en particulier, sont automatiquement indexés à un indice, même indirect, d'un certain coût de la vie.»

On peut donc dire que du côté québécois de la rivière Outaouais, certains efforts sont déployés en matière de recherche en santé. Les investissements du CRSQ, qui portent en majorité sur la formation de chercheurs et sur des scientifiques jeunes, sont du nombre des efforts à souligner. Ceux du MAS lui-même sont parfois louables également, même si le ministère procède à pas de tortue dans l'élaboration et la publication de sa politique de recherche — chose que pourtant réclamait déjà le rapport Bonneau en 1973. Par ailleurs, les quelques freluquettes dizaines de milliers de dollars que le MAS va peut-être investir, en 1976-1977, dans la recherche en santé du travail font figure de goutte d'eau dans la mer, en regard de l'étendue et de la complexité des problèmes auxquels il faut s'attaquer de toute urgence.

L'avenir, dans ce secteur de la recherche scientifique comme dans les autres, n'est donc pas nécessairement rose: budgets maigrichons, relève incertaine, politiques d'ensemble peu ou mal définies en un domaine où pourtant les efforts ne sont payants qu'à long terme. Les chercheurs les plus réputés manifestent publiquement leur inquiétude. Les efforts québécois sont parfois contrecarrés par les politiques canadiennes et ceux des administrateurs publics par l'individualisme traditionnel des chercheurs et par leurs réticences à tout effort de planification et d'évaluation venant de l'extérieur de... leur propre laboratoire. La recherche, entend-on dire, est en danger.

Et quand elle s'en va à vau-l'eau, la recherche en santé, c'est la santé tout entière qui se fait peau de chagrin.

LE COMBAT POUR LA SANTÉ

10.
LA MÉDECINE, BIEN,
MAIS PLUS QUE LA MÉDECINE

La médecine est en crise. Le fait de l'écrire noir sur blanc, de le dire tout haut, ce fait à lui seul suffit à le montrer. Profession naguère hautement respectée et valorisée, elle apparaît de plus en plus comme un métier parmi d'autres et, chose plus grave, comme un métier souvent pratiqué pour des motivations et dans un esprit pas nécessairement généreux et désintéressés. Technique d'intervention contre la maladie, elle se révèle soudain limitée dans ses succès réels, dans ses possibilités effectives de vaincre les maux avec lesquels doit compter notre civilisation ; plus encore, disent les méchants, elle fait plus de malades qu'elle n'en guérit. Science enfin, et même science expérimentale depuis Claude Bernard, elle arrive au bout de la corde de la pensée cartésienne et du schéma pasteurien, incapable qu'elle est de faire la synthèse des savoirs en cette période de crise généralisée des savoirs.

Pour le dire en deux mots, c'est l'impasse. L'impasse sur tous les fronts. La médecine telle qu'elle existe actuellement, constate l'épidémiologiste, est à toutes fins pratiques impuissante à résoudre les problèmes de santé de la société industrielle avancée. La médecine véritablement et authentiquement scientifique, admet le clinicien, n'entre que pour une part infime dans le cocktail médical de tous les jours.

DEMAIN LA SANTÉ

La capacité d'expliquer de la médecine, dit de son côté le philosophe des sciences, ne permet plus de comprendre tout le réel. L'administrateur public et le planificateur y vont aussi de leur prise de conscience, se rendant compte qu'on en est arrivé à un seuil au-delà duquel il ne sert à rien d'ajouter d'autres dollars dans le fonctionnement de la même énorme machine. Médecine et médecins, conclut le sociologue, perdent à toute allure de leur statut social et de leur crédibilité publique...

Personne ou à peu près personne, pourtant, ne croit sérieusement qu'il faille pour autant brûler les médecins et jeter la médecine aux poubelles de l'histoire de l'humanité souffrante. Plusieurs même parlent ou rêvent d'une nouvelle médecine, travaillent à l'inventer, à l'expérimenter, à la vivre parfois. Avant toutefois d'aller faire un tour dans leurs jardins, il nous faut commencer par dresser avec plus de précision ce constat de crise de la médecine contemporaine.

LA CRISE DE LA MÉDECINE

Il est des mots pièges qui recouvrent plusieurs niveaux de réalité emboîtés les uns dans les autres, des mots qu'il vaut mieux décortiquer avant de les manipuler. Le mot « médecine » est de ceux-là, qui désigne à la fois une profession (un statut social), un ensemble de techniques (un savoir-faire) et une science (un savoir). Et la crise, posons-le de suite, c'est à chacun de ces niveaux qu'elle se manifeste.

Premier aspect de la remise en cause de la médecine en effet: la crise « sociale », la crise de confiance en la médecine et en la profession médi-

LA MÉDECINE, BIEN,
MAIS PLUS QUE LA MÉDECINE

cale. Tout à coup, en l'espace de quelques années seulement, une fraction de moins en moins marginale de la population doute, n'y croit plus vraiment. Ou en tout cas, plus aussi dur qu'avant. Jusqu'alors relativement intouchables, la profession et ceux qui la pratiquent deviennent la cible de critiques de plus en plus fréquentes et de plus en plus publiques, ouvertes, directes. L'image se ternit et l'American Medical Association finance une grosse opération de retapage, l'émission télévisée *Marcus Welby MD*. Le bateau d'Esculape, certes, ne coule pas. Mais il prend l'eau d'un peu partout. D'autant plus qu'une nouvelle catégorie de professionnels, qu'une nouvelle élite montante vient contester le pouvoir jusqu'alors absolu des médecins sur l'empire de la santé: les technocrates-épidémiologistes-planificateurs-rationalisateurs, ces «gouvernementaux» qui ont le vent en poupe depuis qu'il a été décidé de mettre de l'ordre dans la maison.

Élite pour élite pourtant, le public n'est pas sûr de gagner vraiment au change. Tout ce qu'il sait, ou tout ce qu'il ressent, c'est la percée de valeurs nouvelles, charriées par la civilisation de la consommation, dans un domaine qu'il croyait à l'abri de tels méfaits, celui de la santé. Ce qu'il ressent encore, c'est la perte d'un bien qu'il n'a peut-être pas toujours possédé, mais qu'on lui a fait miroiter depuis le début du grand chambardement des structures, des lois et des réglements: le droit à des soins qui le respectent, qui tiennent compte de ce qu'il est plutôt que de ce qu'il a. Une «ex-patiente», profondément bouleversée du peu d'attention qu'elle a reçue sur «la chaîne de montage» d'un gynécologue, lui écrit: «Je passe plus de temps dans une station service à faire faire le changement d'huile, le graissage des roues, la vérification de la pression d'air dans les pneus, que je n'en ai passé dans votre salle d'examen à faire examiner mes organes génitaux[1].» Et peut-être pourrait-on résumer cette crise de confiance de la façon suivante: en s'urbanisant, en se spécialisant, en s'enfermant dans des centres hospitaliers de plus en plus gros et de plus perfectionnés, la profession médicale a tué en ses rangs l'espèce des médecins de campagne; mais elle n'a pas su inventer l'espèce des «médecins de ville» qui aurait dû la remplacer...

Bien des facteurs pourraient être évoqués pour expliquer cette crise de confiance, dont le plus communément retenu est certainement l'attitude du corps médical vis-à-vis du public client et de l'État payeur. Mais la crise de la médecine comme technique d'intervention contre la maladie entre elle aussi en ligne de compte: la population a soudain découvert, surprise et étonnée, que la toute-puissante médecine n'avait pas réponse à tout en matière de maladie — et à plus forte raison en matière de santé. Que les victoires qu'elle se plaisait à claironner n'étaient souvent que de fausses victoires, remportées par d'autres qu'elle. Que son impuissance était par contre bien réelle face aux problèmes de santé les plus répandus dans nos sociétés de la vitesse et de l'hyper-consommation. Incapable en effet d'endiguer les ravages croissants des maladies de civilisation — cancers, troubles cardio-vasculaires, accidents —, la médecine se cantonne dans un rôle pas très glorieux de garagiste, de répareuse de pots cassés, de ramasseuse de morceaux.

Dans un article intitulé «les limites de la clinique», un titre qui dit bien ce qu'il dit, un médecin

---

1. *Le Devoir,* 26 août 1976, page 4.

LA MÉDECINE, BIEN,
MAIS PLUS QUE LA MÉDECINE

du département de santé communautaire du Centre hospitalier de l'université Laval, Fernand Turcotte, explique que «les services sanitaires actuels sont capables de résoudre, avec une grande efficacité, les problèmes de santé qui étaient importants il y a 40 ans [2]». Corollaire de ce constat d'efficacité limitée en matière de lutte contre la maladie: la découverte que la médecine n'est pas l'alpha et l'oméga dans le domaine de la santé. Contrairement à l'opinion soigneusement entretenue par la profession médicale elle-même, la problématique de la médecine et celle de la santé ne sont pas une seule et même chose. «L'équation traditionnelle entre le niveau de santé et le nombre de médecins et d'hôpitaux ne tient pas compte de la réalité [3]», écrit le ministre Marc Lalonde. «Les relations entre les indicateurs de mortalité et la densité des ressources hospitalières et médicales ne sont pas très nombreuses», dit de son côté le sous-ministre des Affaires sociales du Québec, Jacques Brunet, médecin lui-même [4].

Mais il y a bien plus. Bien plus explosif en tout cas. La médecine, lance en 1974 un poseur de bombes professionnel nommé Ivan Illich, la médecine rend malade [5]. Mettre le pied dans cette gigantesque institution qu'elle est devenue, c'est s'exposer à ses coups de bistouri et à ses décoctions de médicaments, un risque bien plus élevé que celui de la maladie elle-même. «L'infirmité, l'impuissance, l'angoisse et la maladie engendrées par les soins profes-

---

2. TURCOTTE, Fernand, «Les limites de la clinique», *Critère*, juin 1976.
3. LALONDE, Marc, *Nouvelle perspective de la santé des Canadiens*, avril 1974.
4. Lors du colloque de *Critère*, le 6 juin 1976.
5. ILLICH, Ivan, *Némésis médicale*, 1975.

sionnels dans leur ensemble constituent l'épidémie la plus importante qui soit et cependant la moins reconnue», écrit Illich qui y va par ailleurs à grands coups de chiffres pour démontrer l'existence des maladies iatrogènes, de ces maladies, au sens littéral du mot, causées par le médecin. L'hôpital, les médicaments et l'agression chirurgicale sont les cibles favorites du pamphlétaire, qui note entre autres exemples que 18 à 30% des personnes hospitalisées aux États-Unis ont une réaction pathologique induite par les substances médicales qu'on leur administre.

On a appris par ailleurs, depuis la publication de *La Némésis médicale,* des nouvelles encore plus illichiennes qu'Illich: 13% des patients qui ont réagi de façon défavorable à des médicaments prescrits pendant leur hospitalisation à l'Hôpital Général de Montréal en sont morts, révèle une étude d'un pharmacologue de l'université McGill[6]; en 1974, rapporte pour sa part une sous-commission de la Chambre des représentants aux États-Unis, les chirurgiens américains ont pratiqué 2,38 millions d'interventions non nécessaires, interventions qui ont entraîné 11 900 mortalités inutiles et qui ont coûté au public près de quatre milliards de dollars[7]; et l'on a déjà parlé en ces pages d'une étude effectuée sur les interventions chirurgicales pratiquées au Québec, selon laquelle par exemple 1 Québécoise sur 4 n'aura plus d'utérus à 45 ans si les taux d'hystérectomie devaient se maintenir à leur niveau actuel. Pourtant, le procès de la médecine pathogène, de la médecine qui rend malade, ne doit pas s'en tenir seulement à ce premier niveau de la iatrogénèse, le niveau clinique. Selon Il-

6. *Le Devoir,* 18 mars 1975, page 1.
7. *Le Soleil,* 26 janvier 1976, page 1.

lich en effet, la iatrogénèse est aussi sociale. «La prise en charge institutionnelle de la population par le système médical, écrit-il, enlève progressivement au citoyen la maîtrise de la salubrité, dans le travail et le loisir, la nourriture et le repos, la politique et le milieu; elle constitue un facteur essentiel de l'inadaptation croissante de l'homme à son environnement.» Toujours selon Illich, les six symptômes de cette iatrogénèse sociale sont les suivants: la médicalisation des budgets nationaux partout dans les sociétés industrielles avancées, l'invasion pharmaceutique multinationale, la médicalisation des catégories sociales et de certaines classes d'âge, la médicalisation des bien-portants par la généralisation du «check up» et de la détection précoce, la médicalisation des bien portants par la généralisation mort, et enfin l'élimination du statut de santé par la multiplication illimitée des rôles de malade[8].

En fin de compte, cette découverte de l'efficacité toute relative et des dangers de la médecine contemporaine débouche sur une remise en cause du modèle médical traditionnel et largement majoritaire, le modèle curatif. Certes, et personne ne le conteste, il faut bien réparer les bras cassés, soigner les maladies vénériennes ou couper les appendices en état d'inflammation. Mais ne faire que ça, limiter le rôle de la médecine à celui d'une entreprise de répara-

8. D'autres avant Illich avaient mis en lumière la relative inefficacité de la médecine, et parfois même les dangers de la médicalisation à outrance. Qu'on pense seulement à René Dubos et à son *Mirage de la santé* paru dès le début des années 50 — et qui a fourni à Illich une bonne partie de sa problématique de base. Qu'on pense aussi à Cochrane, ce médecin écossais dont les travaux sont évoqués dans notre dernier chapitre et qui a participé au colloque de la revue *Critère* à laquelle il avait auparavant accordé une entrevue (numéro 13, juin 1976).

tions en tous genres devient rapidement très contestable, dans la mesure où le médecin cesse de s'interroger sur les causes profondes des affections qu'il soigne, dans la mesure aussi où il participe davantage à l'entretien de la maladie qu'à l'avènement de la santé. L'incroyable expansion de notre système hospitalier, l'augmentation fulgurante du coût de l'assurance-maladie et de la consommation des services qu'elle couvre, la tendance à la spécialisation d'un corps médical dont la pratique fait appel à une technologie de plus en plus sophistiquée, tous ces phénomènes sont des manifestations criantes de l'emprise du modèle curatif sur la quasi-totalité de notre système de soins. Maurice Jobin, l'un des médecins québécois les plus critiques de la situation actuelle, résumait cet état de fait dans une formule bien imagée: «Notre médecine se porte mal, déclarait-il dans une entrevue recueillie par Jean Proulx pour *Critère,* parce qu'elle est devenue une médecine de consommation, refermée sur l'hôpital, et une médecine de pompier, préoccupée de traiter les symptômes comme les pompiers éteignent les feux sans trop s'interroger sur les causes[9].» Faisant le lien entre la crise de la médecine comme savoir-faire professionnel et la crise de la médecine comme profession et comme statut social, Maurice Jobin précisait de plus au cours de cette entrevue: «Le milieu hospitalier technicise l'acte médical et endort la conscience sociale du médecin. Si, en plus, en sortant de l'hôpital, le médecin se retire dans sa belle maison de banlieue, s'enfuit vers son chalet, rejoint les membres sélects de ses clubs privés, il ressemble

---

9. PROULX, Jean, «Pour une médecine sociale et préventive: une entrevue avec le docteur Maurice Jobin», *Critère,* juin 1976.

LA MÉDECINE, BIEN,
MAIS PLUS QUE LA MÉDECINE

encore davantage à l'autruche. Sa manière de travailler et sa manière de vivre lui font oublier que sa lutte pour la santé devrait passer par la revendication d'un milieu de vie décent pour tous. »

Et ce n'est pas tout. La crise est plus profonde et plus troublante encore que tout ce qui vient d'être dit : le statut scientifique lui-même de la médecine est remis en cause — et cela pourrait bien constituer, en bonne partie du moins, le fond de la question. Qu'en est-il donc de cette crise de la médecine comme science ? Jean-Yves Roy, un médecin montréalais qui termine un livre à paraître à la fin de 1976, *Être psychiatre,* a inscrit ce problème au centre de ses préoccupations et de sa réflexion. Dans un article remarquable paru au début de 1975[10] et au cours d'une longue entrevue qu'il nous a accordée durant l'été 1976, Jean-Yves Roy pousse son analyse de la question. « Nous vivons actuellement une crise des savoirs généralisée, dit-il, aussi importante pour l'histoire de la pensée que la crise de la Renaissance, qui a permis de passer d'une pensée théologique à une pensée cartésienne ; aujourd'hui, nous arrivons au bout du cartésianisme comme façon de raisonner sur le réel et nous sentons qu'il faut inventer une nouvelle logique pour sortir de l'impasse. Une logique dont on ne sait pas ce qu'elle sera mais dont on pressent, par exemple, qu'elle sera capable d'intégrer et d'appréhender le plurifactoriel ou l'irrationnel. Une logique qui nous permettra de sortir de la causalité linéaire cartésienne dans laquelle nous sommes étroitement enfermés. Dans ce contexte, la médecine est elle aussi en crise, d'autant plus qu'elle

---

10. ROY, Jean-Yves, « Médecine : crise et défi », *Recherches socio-graphiques,* 1975.

n'est pas véritablement une science, mais plutôt une « science-carrefour » qui a toujours dépendu de différents « savoirs-ressources ».

Mais, dit Jean-Yves Roy, les savoirs d'approvisionnement de la médecine se sont multipliés durant les dernières années ; ils se sont complexifiés, diversifiés, ramifiés à l'extrême ; en 1975, il s'est publié dans le monde 1 400 000 articles — un million quatre cent mille — dans le domaine de la médecine. De plus, ce n'est pas seulement la quantité d'informations qui augmente ; c'est aussi la nouveauté de leur provenance qui contribue à l'éclatement du savoir médical. « Des connaissances tout à fait nouvelles, hier encore étrangères à la médecine, comme celles de la sociologie, de la démographie, de la psychosomatique, de la politicologie, de l'ethnologie, de l'anthropologie, de l'éthologie et de l'écologie proposent certaines visions de la maladie et de la santé dont la médecine doit de plus en plus tenir un compte rigoureux », écrit Jean-Yves Roy ; malheureusement, ajoute-t-il, « la synthèse de toutes ces connaissances devient de plus en plus improbable ».

De toutes façons, si synthèse il devait y avoir, l'opération présupposerait une sérieuse révision de la démarche médicale traditionnelle, précise le psychiatre. Partant de « la géniale intuition » d'Hippocrate, ce médecin grec du cinquième siècle avant Jésus-Christ pour qui l'origine de la maladie réside dans la perte de l'équilibre interne de l'organisme, Jean-Yves Roy situe à la Renaissance le début véritable de l'actuelle médecine scientifique. C'est à cette époque en effet qu'on transgresse les interdits de l'Église catholique et que sont pratiquées les premières dissections de cadavres humains. Et que va nous apprendre cette « leçon d'anatomie » ? Que la cause du déséquilibre sur laquelle spéculait Hippocrate ré-

LA MÉDECINE, BIEN,
MAIS PLUS QUE LA MÉDECINE

side dans la lésion. Autrement dit, qu'on peut toucher du doigt, qu'on peut voir la cause de la maladie.

Toute la pensée médicale actuelle est déjà là! Car avec les années, avec les siècles, le regard s'affine, s'en va toujours plus loin dans la perception de l'infiniment petit, jusqu'à en arriver à «cet aboutissement inévitable de la pensée cartésienne qu'est le microscope électronique». Entre temps, il aura fallu faire d'importants progrès, entre autres le bond fantastique des découvertes de Pasteur, au XIXe siècle: l'agent causal de la lésion, c'est le micro-organisme. La lésion, soit dit en passant, peut être elle aussi infiniment petite, bio-chimique, moléculaire. Mais elle demeure la cause directe la maladie, le fondement du modèle d'explication et, par voie de conséquence, celui du modèle de l'intervention médicale contre la maladie: l'antibiotique tue les micro-organismes qui sont à l'origine de telle lésion identifiée comme étant la cause de telle maladie. «Tel est, à peu de choses près, l'état de la médecine vers les années 50, résume Jean-Yves Roy. La maladie correspond à une lésion à l'intérieur du sujet, une lésion éventuellement démontrable, soit au niveau macroscopique, microscopique, biochimique. Une lésion qui a son tour correspond à une cause à découvrir, soit dans la génétique, soit dans l'intervention d'un agent pathogène, microbe ou virus, soit dans un traumatisme; mais dans une cause physique décelable. »

Cette médecine causale, qui observe de toujours plus près des lésions de plus en plus minuscules et de plus en plus circonscrites dans l'espace corporel, cette médecine donc ne peut déboucher que sur la surspécialisation, «comme si l'être humain n'était que la somme exacte de ses diverses composantes».

DEMAIN LA SANTÉ

Par un glissement de sens étonnamment révélateur, l'expression «champ opératoire», en chirurgie, désigne à la fois l'espace du corps sur lequel on intervient, et l'ouverture pratiquée dans le drap vert dont on recouvre le patient et par laquelle on travaillera. Mais, car il y a un mais, tout n'est pas visible par le seul champ opératoire. Tout n'est pas sous le microscope. Insidieusement, cette petit idée se fait séditieuse, qui vient remettre en cause la pensée médicale traditionnelle.

Les expériences de Selye sur le stress, explique en substance Jean-Yves Roy, montrent par exemple que l'organisme assiégé par un agent d'agression réagit de façon *non spécifique* à cet agent, alors que dans la pensée médicale classique, des causes spécifiques engendrent des lésions spécifiques. Autre «surprise»: la cause de maladie n'est pas à l'intérieur du sujet, mais à l'extérieur, et c'est l'organisme tout entier qui réagit à la provocation. Cette réaction, il faut y insister, ne suit pas les sentiers battus de la causalité linéaire pasteurienne; au contraire, la causalité devient multiple, complexe, diffuse, plusieurs causes, voire des dizaines de causes, pouvant donner un même effet. S'impose d'ailleurs une autre idée nouvelle: celle de maladies pluricausales, comme le montrera Norman Bethune avec la tuberculose des Canadiens français. «La maladie, explique Jean-Yves Roy, dépend d'un ensemble de facteurs qui interagissent. Ce constat appelle une révision du concept simpliste de la médecine pasteurienne», d'autant plus qu'il s'agit «d'un schéma applicable à presque toutes les entités cliniques». D'autres idées, ajoute le chercheur, viendront encore battre en brèche la causalité linéaire étroitement pasteurienne: la médecine psychosomatique met en évidence des interactions en chaîne «que la logique cartésienne stricte n'arrive pas à cerner » ; le concept de maladie auto-immunitaire recouvre pour sa part des phénomènes difficilement compréhensibles de destruction par l'organisme de ses propres cellules saines, l'appareil chargé de reconnaître les corps étrangers ou dangereux cessant soudain de fonctionner normalement. Bref, de conclure Jean-Yves Roy, « la maladie s'étale, s'étend, se ramifie, se prolonge et s'intrique à tous les tissus. Elle se manifeste dans les diverses dimensions de l'individu. Le sujet n'a pas une maladie : il *est* malade. »

Voici donc, analysée avec Jean-Yves Roy, cette crise de fond que vit actuellement la science médicale, la pensée médicale. « Depuis trois siècles, dira encore le médecin, la médecine s'est référée à des modèles empruntés à la biologie — mais la biologie est incapable d'expliquer l'homme. Aussi la médecine doit-elle se tourner maintenant vers les sciences humaines comme savoir d'appoint principal — mais il n'existe pas actuellement *une science de l'homme* sur laquelle s'appuyer solidement... »

SORTIR DE LA CRISE

Ce qui n'est pas simple cependant, c'est qu'il n'est pas question de brûler la médecine pasteurienne classique (elle est irremplaçable dans bien des cas) et qu'il n'est pas non plus question de ne se contenter que d'elle (elle est au bout de sa corde dans bien d'autres cas, comme on vient de le voir). En termes pratiques et plus ou moins caricaturaux, cela signifie qu'on ne peut pas demain matin fermer les hôpitaux et autres machines à produire des services curatifs, mais qu'on ne peut pas davantage suivre les partisans de la fuite en avant pour qui la solution réside dans des investissements humains, technologiques et financiers toujours plus considérables dans le gouffre du système sanitaire actuel. Si elle doit jamais sortir de la triple crise qui l'assaille, la médecine ne pourra le faire qu'en sauvegardant ce qu'il y a de juste dans ce qu'elle est aujourd'hui ; elle devra se renouveler, rapidement mais par étapes successives, quitte à ce que ce renouvellement ne vienne pas d'abord de l'intérieur, comme le soupçonne par exemple un Jean-Yves Roy.

Sur le plan scientifique d'ailleurs, l'entreprise sera très certainement longue, fort longue. Difficile aussi, et complexe et incertaine. L'aventure est engagée, une nouvelle pensée médicale émerge tant bien que mal, certains s'attaquent à forger, à imaginer de toutes pièces de nouveaux modèles, une nouvelle logique. Une pensée, pour reprendre l'expression de Fernand Seguin dans sa percutante conférence de clôture du colloque de *Critère,* en juin 1976, une pensée « réticulaire » et non plus platement linéaire. Un modèle de la santé et de la maladie, toujours pour reprendre le célèbre biochimiste, qui ne soit pas étroitement dualiste, mais qui réfère à un continuum ininterrompu allant de l'une à l'autre — vision de nuance, de relativité et d'équilibre qui devrait nous permettre d'en revenir aux préceptes de l'hygiène et de replacer la médecine à sa place, celle de l'exception. Toutes choses, redisons-le, qu'on ne fait actuellement qu'entrevoir tant est lourd à lever le rideau de la pensée médicale officielle. L'entreprise, pense encore Jean-Yves Roy, sera périlleuse du point de vue intellectuel, mais il faut bien comprendre que la médecine n'est pas une science achevée, comme voudraient bien le croire certains : « À la fin

LA MÉDECINE, BIEN,
MAIS PLUS QUE LA MÉDECINE

du XIX$_e$ siècle, rappelle le chercheur, Lord Kelvin affirmait que la physique avait fini sa tâche et qu'il ne lui restait tout au plus que deux petites questions à régler, à savoir si la lumière était un phénomène particulaire ou vibratoire d'une part, et comment obtenir le vide parfait dans les chambres à vide d'autre part. Or, il s'est avéré que ces deux petites questions ont de fait relancé des problèmes fondamentaux. La médecine technologiste se comporte aujourd'hui comme Lord Kelvin. Mais pourquoi ces «petites» questions qui lui échappent se seraient-elles pas la source de nouveaux savoirs?»

L'urgence de sortir de la crise est toutefois plus nettement et plus largement ressentie dans le domaine de la médecine comme technique d'intervention contre la maladie. Là plus qu'ailleurs en effet, un nombre croissant de personnes, venues d'horizons intellectuels et professionnels différents, s'accordent à dire que nous devons déboucher rapidement sur une médecine nouvelle. Sur une médecine qui soit plus que la médecine actuelle. Et peut-être même, tout «simplement», plus que la médecine tout court.

Car une idée au moins commence à faire son chemin dans les universités, dans le gouvernements et dans les professions concernées: la vertu des services curatifs, aussi perfectionnés et technologisés qu'ils soient, reste limitée. S'en tenir à ce genre de services, c'est jouer à Sisyphe, c'est rouler à grand-peine et à grands frais un énorme rocher vers le sommet de la santé et voir à tout coup le rocher retomber au bas de la pente, avant bien sûr d'avoir atteint son but. La tâche est absurde, mais c'est à cela que nous nous condamnons en acceptant de réparer à l'infini des dégâts dont nous ne cherchons pas la cause réelle. Conséquence de cette constatation: il faut diminuer l'importance relative du secteur curatif pour se tourner vers une médecine sociale, préventive et communautaire. Il faut se donner les moyens de mettre en application, sur le plan des sociétés, le vieil adage selon lequel mieux vaut prévenir que guérir [11].

Nous l'avons dit: tous ceux qui «pensent» un peu, tous ceux qui réfléchissent sur les problèmes de santé en arrivent *grosso modo* à ce genre de considérations. Tous constatent, avec un médecin comme Guy Saucier [12], que «notre système de santé se porte assez mal et notre système de maladie assez bien», la carte d'assurance-maladie permettant «la consommation gratuite de plus de 3 000 actes médicaux, chirurgicaux, dentaires et optométriques les plus complexes, à répétition, à satiété» mais ne donnant accès «ni au soleil, ni au gymnase, ni à la piscine, ni au plein air, ni à la saine alimentation, ni à la paix de l'âme». Tous admettent, bref, qu'il faut s'atteler à la reconversion de notre système anti-maladie en un système pro-santé. Qu'il faut, comme le dit le rapport de l'OSS, «prendre le virage vers la santé».

11. Le rapport Lalonde (*Nouvelle perspective de la santé des Canadiens*) est bien représentatif de ce type de prise de conscience. Constatant l'échec, ou en tout cas le demi-succès de la conception traditionnelle de la santé — un système reposant essentiellement sur le traitement des maladies et qui coûte sept milliards de dollars par an aux Canadiens —, constatant aussi que la plupart des décès sont encore imputables à ces fameuses «maladies de civilisation», le ministre propose une conception globale de la santé reposant sur quatre éléments: la biologie, l'environnement, les habitudes de vie et l'organisation des soins. Or, poursuit-il, «la plupart des efforts déployés jusqu'ici par la société en vue d'améliorer la situation de la santé et l'ensemble des dépenses directes affectées à ce secteur ont porté avant tout sur l'organisation des soins» (page 34); c'est donc dans les trois autres éléments que les efforts doivent maintenant être fournis.

12. Lors de sa conférence au colloque de *Critère*, le 6 juin 1976.

LA MÉDECINE, BIEN,
MAIS PLUS QUE LA MÉDECINE

Le problème, c'est que personne ne sait exactement comment le prendre, ce virage. Ni comment la reconvertir, notre médecine. Chacun y va de son analyse et parfois de sa proposition, mais il reste très difficile d'imaginer concrètement de quoi aura l'air le paysage, une fois pris le virage. Ce qu'on sait seulement, c'est que cette nouvelle médecine devrait être plus sociale qu'individuelle, plus centrée sur le groupe que sur le cas isolé de son contexte et de son environnement; mais qu'elle devrait en même temps rester très proche de la personne. Qu'elle devrait aussi être plus préventive que curative, sans toutefois se limiter à cette demi-mesure qu'est la prévention par le «check up», ce curatif précoce dont la généralisation ne fait jamais que «transformer les bien portants en anxieux», comme dit Illich. Qu'elle devrait être, enfin, plus globale que parcellaire et spécialisée, plus chaleureusement humaine que froidement technologique, sans toutefois perdre les acquis scientifiques les plus sérieux sur lesquels elle repose actuellement.

Le défi, on le voit, est énorme si l'on veut inventer cette «plus que médecine». Cette médecine, pour reprendre encore les mots de Maurice Jobin, qui soit «une science et une technique, mais aussi et peut-être surtout un art et engagement social[13]».

13. PROULX, Jean, *op. cit.*, page 139.

DEMAIN LA SANTÉ

LES EXPÉRIENCES QUÉBÉCOISES

Le défi est énorme mais nous ne partons tout de même pas tout à fait de zéro. Déjà, ici et là au Québec et de façon il est vrai marginale, existe ou tente d'exister une médecine qui serait plus que la médecine — plus que la médecine traditionnelle en tout cas. La partie n'est ni facile ni gagnée, mais les faits sont là: un certain nombre d'expériences sont actuellement vécues, dans le réseau des Affaires sociales et parallèlement à lui, qui s'inspirent d'une volonté de trouver des solutions à la crise, de sortir de l'impasse dans laquelle se trouve la médecine officielle. Certains CLSC (Centres locaux de services communautaires) et dans une certaine mesure les DSC (Départements de santé communautaire, installés dans 32 hôpitaux) constituent, avec ces francs-tireurs que sont les cliniques populaires, les lieux privilégiés de ces expériences.

Qu'on nous comprenne bien tout de suite. Il n'est pas question de chanter ici les louanges de toutes ces institutions plus ou moins communautaires, de les encenser en bloc, sans distinction et avec naïveté: il y a souvent plus de rêves que de réalisations effectives dans ces expériences, plus de grands mots généreusement jetés sur le papier que de mesures prises effectivement sur le terrain. D'ailleurs, dans les pages que nous avons consacrées aux DSC et aux CLSC (voir le chapitre 8), il a longuement été question des limites concrètes que leur impose la réalité quotidienne, que leur fixe le contexte sociopolitique, culturel, économique, idéologique. On a vu notamment que le ministère des Affaires sociales cherche à assagir les CLSC, à limiter leurs «ambitions» sociales et communautaires au profit et leur

LA MÉDECINE, BIEN,
MAIS PLUS QUE LA MÉDECINE

rôle médical et curatif, à en faire, en quelque sorte, de grosses cliniques publiques ouvertes à la pratique traditionnelle privée de la médecine. Il ne s'agit donc pas d'accorder à tout le monde le Bon Dieu sans confession. Mais les échecs et les déceptions ne doivent pas non plus provoquer l'attitude complètement opposée, faire oublier que des institutions comme les CLSC ou les DSC ouvrent, ont cherché à ouvrir ou tentent encore d'ouvrir certaines voies nouvelles en matière de médecine et en matière de santé.

Un texte publié par l'un des médecins québécois qui croit le plus dans le potentiel des CLSC — et, chose plus rare encore, qui y travaille —, Serge Mongeau, permet par exemple de mesurer ce que pourrait apporter l'expérience si elle est poursuivie assez longtemps sans que l'idée originelle n'en soit profondément modifiée ou sérieusement édulcorée [14]. Rééducation du médecin à une vision plus sociale et moins «cas par cas» de la maladie, apprentissage d'une conception multidisciplinaire des problèmes qu'il rencontre durant sa pratique, ouverture à la nécessité d'une approche préventive des questions de santé, acceptation d'un nouveau membre dans l'équipe, en l'occurence l'usager: tels sont quelques-uns des bénéfices que médecins et médecine peuvent retirer, selon Serge Mongeau, d'une fréquentation assidue des CLSC. De plus, écrit-il, «les citoyens ne sont pas des experts de la lutte à la maladie; bien souvent, s'ils participent à la vie du CLSC, c'est qu'ils voudraient trouver les moyens de garder leur santé.» Cette nuance de rien, ce détail négligeable

---

14. MONGEAU, Serge, «Les médecins face aux CLSC: de la lutte contre la maladie au combat pour la santé...», *Le Jour*, 2 mars 1976.

en apparence, vient en fait bouleverser la pratique traditionnelle de la médecine, explique Serge Mongeau, car «de la lutte *contre* la maldie, il faut passer au combat *pour* la santé».

Il est bien évident, soulignons-le encore, que la fraction des médecins que touchent de telles expériences est plutôt mince; et que la survie intégrale de ces expériences est chose fragile, très fragile même. Mais en la tempérant d'un bémol de réalisme — la médecine privée traditionnelle, individualiste et curative a certes la peau dure —, la conclusion de Serge Mongeau demeure importante à retenir à ce moment de la discussion: «La pratique en CLSC, affirmait-il, amorce la fin de la médecine libérale et, par le fait même, la fin d'un monopole odieux, celui du contrôle de la maladie. Les médecins, traditionnellement accolés à la classe dominante avec laquelle ils partageaient maints privilèges, deviennent des salariés dont les intérêts se rapprochent davantage de ceux des travailleurs. Peut-être ainsi mettront-ils enfin leurs connaissances au service de la majorité, de sorte que nous ayons un peuple en santé.»

De leur côté aussi, les DSC se présentent à leur façon comme des «ouvreurs de voies nouvelles» en médecine, même si leur statut (ils sont intégrés dans la structure des centres hospitaliers) semble les condamner au départ à rebattre des sentiers battus. Intégrant les fonctions traditionnelles de la médecine préventive (immunisation, éducation sanitaire, dépistage systématique de certains problèmes de santé), étroitement impliqués dans les fonctions actuelles de santé communautaire (analyse des problèmes, élaboration des programmes, coordination des ressources, évaluation de l'état de santé de la population et de l'impact des programmes mis en œuvre), fonctionnant aussi sur la base d'actions concrètes à mener

LA MÉDECINE, BIEN,
MAIS PLUS QUE LA MÉDECINE

auprès de populations définies, les DSC proposent en effet de nouveaux modèles de référence en matière de pratique médicale et de médecine [15]. L'expérience, la chose est vraie, est certes bien jeune pour juger définitivement des résultats qu'elle donnera et des changements qu'elle provoquera; mais là encore, il serait malhabile de la condamner trop vite à un enterrement de première classe.

Dernier type d'expériences québécoises à évoquer: les cliniques populaires indépendantes, pas intégrées comme telles au réseau des Affaires sociales. Peu nombreuses, elles ont choisi une voie relativement difficile, celle d'une certaine indépendance par rapport au ministère et à ses technocrates. D'une indépendance «négociée» pourtant, puisque c'est tout de même de là que viennent les sous — et aussi des surplus d'honoraires des médecins qui y pratiquent, puisque ces derniers ne touchent que leur salaire quels que soient les revenus qu'ils engendrent en envoyant leurs factures à la Régie de l'assurance-maladie. Très proches de ce que sont ou de ce que devraient être les CLSC, les cliniques populaires vont peut-être un peu plus loin qu'eux dans l'expérimentation de cette nouvelle médecine qu'elles contribuent à inventer.

À la Clinique communautaire de la Pointe Saint-Charles, à Montréal, où l'on travaille depuis huit ans dans une même direction, la «conscientisation» de la population desservie, on insiste très fort sur l'idée que la santé, ce n'est pas chez le médecin ni à la clinique qu'on peut la trouver, que ces derniers ne peuvent pas remplacer les bienfaits d'une vie saine. «En fait, dit un animateur communautaire à l'emploi

---

15. Voir à ce sujet l'article déjà cité de Jean ROCHON.

de la clinique, Francis Calabretta, nous prodiguons des soins curatifs et faisons de la prévention médicale traditionnelle, mais nous visons plus globalement, et à plus long terme peut-être, à faire de la prévention sociale: dans cette optique, chaque personne doit savoir comment avoir une vie saine, doit avoir un emploi qui lui permette de subvenir aux besoins propres à la vie saine, doit avoir des loisirs, doit gagner sa vie avec un stress minimum et doit enfin développer une vision critique qui lui permette de relier les questions de santé aux problèmes plus généraux de la société.» Dans cette clinique dont le nouveau directeur, Jean-Guy Dutil, était au moment de son élection forgeron au Canadien National, la médecine, on le voit, n'est plus reine et maître du domaine. Elle s'est au contraire mise au service des gens et de leurs besoins, et participe d'un engagement social collectif de tendance progressiste. L'une des trois équipes de soins ne s'appelle-t-elle pas équipe Bethune-Chavez?

Ne nous y trompons toutefois pas: toutes les expériences qui viennent d'être évoquées, même si elles contribuent à inventer une pratique médicale nouvelle au Québec, restent fort marginales en regard de notre gigantesque appareil de production de services curatifs traditionnels. Elles ne bénéficient que d'une toute petite partie des sommes dépensées dans l'entreprise médicale et ne touchent qu'une fraction bien réduite de la population. Finalement, bonne conscience du système en place, elles ne font que donner un avant-goût de ce que pourraient être la nouvelle médecine et les nouveaux médecins, si l'on instaurait jamais sous nos cieux la République de Santé. Médecin et journaliste au *Nouvel Observateur*, Norbert Bensaid concluait son dossier «Médecine à la Québécoise» sur cette même note

LA MÉDECINE, BIEN,
MAIS PLUS QUE LA MÉDECINE

d'enthousiasme et de réalisme politique: «Un même gouvernement, écrivait-il, ne peut pas prôner l'action sociale comme étant l'indispensable complément de l'action médicale et s'interdire en même temps toute action sociale... L'expérience québécoise est passionnante, parce qu'on a osé poser de vrais problemes et esquisser de vraies solutions. Elle l'est surtout parce qu'elle démontre l'impossibilité d'aller jusqu'au bout d'une réforme de la politique de santé, quand on n'est pas résolu à l'accompagner d'une réforme politique. Il serait absurde d'imiter cette expérience. Il serait encore plus absurde de n'en pas tenir compte car elle peut beaucoup nous apprendre[16].»

---

16. BENSAID, Norbert, «Médecine à la québécoise», *Le Nouvel Observateur,* 22 septembre 1975.

11.
CHOISIR LA SANTÉ

Condamnés à la maladie, livrés pieds et poings liés à l'entreprise médicale, de la naissance jusqu'à la mort, parqués dans la marginalité dès qu'il s'agit d'expérimenter des voies nouvelles, pouvons-nous, comme individus et comme collectivité, prétendre «choisir la santé»? Pouvons-nous espérer remporter la ou des victoires dans ce combat? Ou bien sommes-nous irrémédiablement et indéfiniment voués à l'échec, la santé pour tous n'étant tout compte fait qu'un bizarre de mauvais rêve un peu farfelu et pratiquement irréalisable? Devons-nous attendre le Grand Soir du renversement du système socio-politique actuel avant d'espérer des lendemains qui chantent dans le domaine de la santé? Ou pouvons-nous au contraire déjà «faire quelque chose» dans nos sociétés et dans des délais raisonnables, *hic et nunc,* ici et maintenant? Pouvons-nous, autrement dit, saper de l'intérieur l'éclatante prospérité qui sévit au Royaume de Maladie?

Voilà, il est vrai, de bien grandes questions! De ces questions qui suscitent peut-être plus de débats qu'elles n'amènent de réponses. Mais des questions qu'il faut au moins soulever, même au risque d'être à la fois — telle est la nature de ces choses-là — et partiel et partial.

CHOISIR LA SANTÉ

C'est donc à une exploration que nous nous proposons de consacrer ce dernier chapitre. À une exploration des moyens qui pourraient contribuer ou conduire à l'avènement de la République de Santé — si tant est qu'elle n'est pas Utopie.

LES LIMITES ET LE POSSIBLE

Puisque notre réflexion veut s'attacher d'abord à ce qui peut être fait *ici et maintenant,* un premier point semble important à souligner: s'il faut commencer par bien mesurer les forces actuellement en présence, par bien identifier les parties impliquées et les intérêts en jeu, par bien calculer les possibilités de changement à court et à long terme, il faut aussi clairement faire la part de l'acquis à préserver. Le Bon Sauvage était peut-être en excellente santé, mais nous avons perdu son «innocence». Et d'où que viennent les maladies qui sont les nôtres, il y a, *ici et maintenant,* des malades que nous devons (et que nous pouvons parfois) soigner ou même simplement soulager ou aider. Cet acquis, scientifique, technique et humain, nous devons le préserver et l'améliorer, comme nous devons préserver et améliorer un autre acquis, un acquis socio-économique, à savoir l'accessibilité élargie aux services de soins. L'erreur serait cependant de tenir ces acquis comme la fin des fins, comme le summum et l'achèvement d'une politique de la santé qui ne serait de fait qu'une politique de la maladie. Malheureusement, nous l'avons amplement vu au long des pages précédentes, ce genre d'autosatisfaction demeure notre lot habituel.

DEMAIN LA SANTÉ

Autre fait à souligner: tabler sur le salut individuel dans le domaine de la santé d'un peuple ou d'un groupe ne peut pas mener bien loin. Ce n'est pas l'individu qui est responsable de sa maladie, ce n'est pas le travailleur qui est responsable de l'accident qui lui arrive: c'est le contexte, le milieu, l'environnement. C'est la grande découverte de la médecine sociale, la grande idée du concept de maladies de civilisation. La grande cause, aussi, du piétinement de la médecine individualiste et du curatif cas par cas. Miser prioritairement sur des changements du comportement individuel pour prendre le virage vers la santé — arrêtez de fumer comme des cheminées, de boire comme des trous et de conduire comme des pieds — ne peut pas résoudre comme par enchantement tous les problèmes de santé de la collectivité. Ce qui faut en effet, c'est aussi changer en profondeur les conditions qui font que les gens fument, boivent et conduisent dangereusement. En d'autres termes, la décision de «choisir la santé» relève d'un choix collectif.

Mais ce serait belle naïveté que de se tourner du coup vers le gouvernement pour lui demander qu'il s'attelle au problème. Il peut certes intervenir pour améliorer la santé de ses commettants, mais la nature même de la société libérale capitaliste limite ses possibilités. Avec un sociologue comme Marc Renaud, professeur à l'Université de Montréal, il peut être utile de cerner ce qu'il appelle, justement, les limites aux interventions de l'État dans le domaine de la santé[1]. Rappelant que l'État n'est pas

1. RENAUD, Marc, «On the Structural Constrains to State Intervention in Health», *International Journal of Health Services*, 1975.

neutre et qu'il représente la classe au pouvoir, le situant de plus comme un appareil de «gestion des crises», Marc Renaud explique que ses interventions doivent à la fois satisfaire les exigences des industries de la santé et répondre aux demandes formulées par le public. Quand les deux points de vue sont compatibles, comme c'est le cas avec les régimes d'assurance-maladie, les choses peuvent se régler assez vite; quand tel n'est pas le cas, on entre dans le jeu des contradictions et des tensions sociales de tous genres.

En fait, dit encore le sociologue, il existe trois paliers possibles d'interventions de l'État en matière de santé. Le premier, et le plus facile, consiste à rejeter le blâme de la maladie sur l'individu, en mettant par exemple l'accent sur les comportements individuels identifiés comme des facteurs de risque: c'est le coup de «l'exemple suédois» et du jogging pour tous, attitude adoptée notamment par le ministère canadien de la Santé dans la foulée, si je puis me permettre, du rapport Lalonde; cette attitude est fortement compatible avec l'idéologie bourgeoise individualiste et favorise de plus le développement de nouvelles industries de santé (aliments naturels, équipements et accessoires de sport, etc). Second palier d'intervention, plus difficile à atteindre pour l'État libéral: la lutte contre les «manufactures de maladies»; le public et en particulier les organisations ouvrières doivent exercer des pressions considérables pour que l'État capitaliste intervienne à ce niveau, et il n'est qu'à évoquer le dossier de l'amiante pour comprendre ce qu'il faut attendre de ces interventions. Le troisième palier d'intervention de l'État consisterait à s'attaquer à la racine du mal et n'est à peu près possible, sur une grande échelle en tout cas, que dans une société socialiste, dans une société qui mettrait de l'avant de nouveaux modèles de santé et de maladie, qui miserait fortement sur la qualité de l'environnement dans les lieux de travail et dans l'habitat en général, qui développerait une approche écologique de la vie des individus et des collectivités, bref, qui placerait le développement de l'homme avant les impératifs de la production et de la rentabilité économiques.

Si l'on veut « choisir la santé », il est donc bon de garder en tête, pour ne pas s'illusionner sur les possibilités réelles de succès, de telles distinctions. Puis d'identifier et de hiérarchiser les actions qui peuvent être menées sur trois fronts différents : le système de santé lui-même ; la conception socio-culturelle de la maladie, de la santé et de la médecine ; et enfin, le contexte politico-économique dans lequel nous vivons.

TRANSFORMER LE SYSTÈME DE SANTÉ

Le système actuel de distribution de soins, abusivement appelé système de santé, a son nombril du monde : les médecins. Le phénomène a été largement décrit précédemment, ainsi que les conséquences de tous ordres qui en découlent. Ce monopole de la profession médicale sur la maladie est responsable, pour reprendre les mots d'Illich, de « l'expropriation de la santé » dont nous sommes aujourd'hui victimes. Il faut briser ce monopole. « La contestation de l'absolutisme du pouvoir médical est saine : il faut l'encourager, la soutenir, l'entretenir même, pour qu'elle puisse mener son œuvre à terme » ; ce n'est pas cet iconoclaste d'Illich qui tient ce langage, mais un médecin québécois presque ordinaire, Fernand Turcotte, du Département de santé communautaire du Centre hospitalier de l'université Laval [2]. Le fait de remettre la médecine à sa place, de montrer qu'elle n'est qu'une partie de la problématique de la santé, pas la santé à elle seule, contribue à briser ce monopole, comme y contribuent des expériences construites autour de l'équipe multidisciplinaire et qui impliquent, en plus des autres travailleurs de la santé, le public usager. Parmi les mesures concrètes suggérées pour gruger le trop omnipotent pouvoir médical, il en est deux qu'il convient de rappeler ici : la suppression de la rémunération à l'acte et la limitation de la liberté de pratique des médecins dans les centres hospitaliers.

Ces mesures, d'ailleurs, auraient surtout pour effet de freiner la hausse des coûts de la santé (ou plutôt de la maladie), hausse si vertigineuse qu'elle risque bien vite, si l'on ne s'en méfie pas, d'accaparer à elle seule toute la capacité de payer du Trésor public. Mais qu'on y prenne bien garde : limiter la croissance des coûts ne veut pas dire « couper » ici et là à l'aveuglette, comme aurait peut-être tendance à le faire le ministère des Affaires sociales. Limiter la croissance veut dire réorienter le budget de dépenses, se mettre à investir massivement dans la santé pour n'avoir plus à subventionner indéfiniment la maladie. L'opération n'est pas simple, concédons-le : « Le système de maladie est plein, dit un autre médecin, Guy Saucier, et on ne peut pas le vider du jour au lendemain, simplement parce qu'on en a décidé ainsi ; pourtant, il faut commencer à financer

---

2. TURCOTTE, Fernand, « Les limites de la clinique », *Critère*, juin 1976, page 86.

concurremment un système de santé, qui toutefois ne parviendra pas à vider le système de maladie avant au moins une vingtaine d'années...» Considérant le fait que, selon un rapport de la Régie de l'assurance-maladie du Québec, 7,5% seulement de la population consomment 47,3% des services rendus et engendrent 41,3% des coûts[3], il faut se demander, avec l'OSS, si «la majorité très silencieuse des gens en santé ne va pas réclamer progressivement (...) qu'il y ait un équilibre nouveau entre l'aspect prévention-promotion de la santé et l'aspect lutte contre la maladie[4].»

Bouter les médecins hors de leur piédestal, couper les dépenses, réorienter les investissements: la nouvelle élite des technocrates-planificateurs-centralisateurs montre le bout de son long nez. La réforme des structures, il est vrai, était un préalable nécessaire à tout déblocage de la situation en matière de santé; l'expérience québécoise souffre de mille défauts peut-être, mais au moins les jalons du chemin conduisant au déblocage ont en gros été plantés. C'est bien. Mais le technocrate, il faut s'en méfier, a souvent tendance à ne toucher qu'aux structures, qui ne sont tout de même qu'une partie de la réalité. Le grand reproche que l'on fait à la réforme Castonguay, c'est de s'être arrêtée en chemin, de n'avoir finalement que chambardé les structures du système anti-maladie, sans avoir mis véritablement en place

---

3. QUÉBEC, Régie de l'assurance-maladie, *Un tour d'horizon: la consommation des services médicaux en 1971-1972,* par Richard David et Daniel Larouche, juillet 1975, page 10.
4. QUÉBEC, Ministère de l'Éducation, en collaboration avec le ministère des Affaires sociales, *Rapport de l'OSS,* avril 1976, pages 530-531.

celles du système pro-santé. « Le rapport Castonguay, dit Marc Renaud, tenait des propos étonnamment prometteurs compte tenu de notre système socio-économique. Pourtant, les jeunes technocrates socio-démocrates qui l'avaient écrit, et qui ont pris par la suite les postes de commande au ministère des Affaires sociales, n'ont pratiquement pas réussi à mettre leurs idées en pratique... »

L'un des grands reproches qui peuvent encore être adressés au système de maladie actuel vise l'emprise grandissante qu'il exerce sur les personnes en se spécialisant toujours davantage, en se carapaçonnant dans une technologie de plus en plus complexe et spectaculaire, en se fortifiant dans des institutions de plus en plus gigantesques et industrielles. Mais la quincaillerie n'est pas innocente. « Comme les cathédrales du Moyen-âge, dit le psychiatre Jean-Yves Roy, les oscilloscopes à écran cathodique sont des productions idéologiques du système, ils servent à démontrer quelque chose. » Ou, si l'on veut, à entretenir des mythes, des croyances, des préjugés. D'où l'idée avancée par Illich, de « déprofessionnaliser » la médecine. Ce qui ne veut pas dire, précise-t-il, que les thérapeutes spécialisés disparaîtraient ou que serait abolie la médecine moderne. « La déprofessionnalisation de la médecine, écrit-il, signifie que sera démasqué le mythe selon lequel le progrès technique exige une spécialisation constamment accrue des tâches, des manipulations toujours plus abstruses et une démission sans cesse grandissante de l'homme rivé à son droit d'être traité dans des institutions impersonnelles, au lieu de placer sa confiance dans ses semblables et dans lui-même[5]. »

5. ILLICH, Ivan, *Némésis médicale,* 1975, pages 162-163.

DEMAIN LA SANTÉ

Cochrane, un médecin écossais qui est devenu l'un des critiques les plus caustiques de notre système de santé, a par exemple montré, à l'aide d'études comparatives fort élaborées, que des malades cardiaques chroniques âgés de plus de 60 ans, soignés à domicile, se portaient en fin de compte tout aussi bien que ceux qui avaient reçu des soins ultra-spécialisés dans des unités hospitalières modernes, dotées de la technologie la plus récente et la plus impressionnante[6]. Le directeur de l'Organisation mondiale de la santé prône de son côté « une démystification de la technologie médicale[7] ». Partout enfin, on réclame de nouveaux médecins, plus « globaux », plus humains, moins enfermés dans l'hôpital, moins technologistes, des médecins qui iraient « parmi le monde », en toute simplicité et sans trimbaler leur quincaillerie à fabriquer du prestige.

Des médecins, aimerait-on pouvoir dire, *des médecins aux mains nues.*

CHANGER LES MENTALITÉS

Car il est une étape par laquelle il faudra *de toutes façons* passer, c'est celle du changement de notre vision socio-culturelle de la santé et de la maladie. Et de la médecine et des médecins. Et de ce que nous sommes en tant qu'usagers.

Les attitudes et les comportements de la profes-

---

6. Voir notamment son entrevue à Jacques Dufresne, *Critère,* juin 1976.
7. MAHLER, Halfdan, « A Demystification of Medical Technology », *The Lancet,* 1 November 1975.

sion, de la caste médicale devront changer en profondeur. Il nous faudra, avons-nous dit, *des médecins aux mains nues.* Il nous faudra aussi des médecins plus préoccupés des besoins réels de la population qu'ils ne le sont aujourd'hui, mieux préparés à «servir le peuple». «C'est sur la mentalité du futur médecin qu'il faut agir, disait Maurice Jobin dans son entrevue à *Critère,* si l'on souhaite qu'il passe d'une médecine purement curative à une médecine sociale et préventive. Je ne vois pas comment un petit individualiste élitiste et bourgeois pourra s'engager à travailler dans un CLSC.» Pour les responsables de l'Opération sciences de la santé également, le changement de mentalité des médecins est l'une des conditions préalables à tout changement significatif, à tout «virage vers la santé» d'un système trop centré sur la maladie. Malheureusement, nous l'avons vu au début du chapitre 10, le fossé est encore grand entre le médecin social ouvert à la problématique de la santé dont nous rêvons ici, et le médecin traditionnel limité à la problématique de la maladie que produisent encore nos universités.

Ce sont aussi les comportements individuels des citoyens-usagers-consommateurs qui devront changer si l'on veut prendre le virage vers la santé. Il faudra arrêter de consommer des services médicaux comme on consomme, dans cette civilisation qui est faite pour ça, des autos ou des téléviseurs. Cesser de considérer ses organes comme des objets jetables après usage — même si la médecine remplace de nos jours des cœurs fatigués aussi facilement que la mécanique change des moteurs usés. Il faudra aussi que changent les comportements individuels face à des facteurs de risque très répandus, alcool, tabac, alimentation aberrante, conduite irresponsable, surmenage abrutissant. Nous l'avons pourtant dit: ce type de changement a certes son importance, mais vouloir le provoquer en jouant la corde de la responsabilité individuelle, c'est retomber dans le piège du cas-par-cas de la médecine traditionnelle. Quand un individu arrête de fumer, deux autres se mettent à boire. La *Nouvelle perspective de la santé des Canadiens* proposée par Marc Lalonde en avril 1974 s'appuyait sur une vision largement innovatrice des questions de santé, mettait en relief les causes possiblement environnementales des maladies qui nous assaillent, s'inspirait de l'idée qu'il ne servait pas à grand-chose de continuer aveuglément à engraisser le système de maladie qui est le nôtre. Bien. Mais tout ce qui en est sorti ou presque, en plus de deux ans, c'est la décision du gouvernement fédéral de se retirer en partie du financement des services hospitaliers, et la mise en œuvre de quelques programmes-gadgets pour petits bourgeois bedonnants du genre *Participaction* ou *Mission Vraie-Vie*. Comme le demandait le directeur de *Critère,* Jacques Dufresne, au ministre Lalonde: «On dit qu'il n'y a pas de cancer du col de l'utérus chez les femmes vierges. La philosophie du Livre Blanc ne vous invite-t-elle pas à lancer une grande campagne en faveur de l'abstinence sexuelle chez les femmes[8]?»

Il faut pourtant aller encore plus loin dans notre culture. S'attaquer au phénomène de la médicalisation envahissante de la santé et de la vie, depuis la naissance jusqu'à la mort. On naît à l'hôpital et on y meurt; entre temps, on vit en santé conditionnelle et surveillée, avec obligation de se rap-

---

8. Voir son entrevue avec le ministre Lalonde, publiée dans *Critère*, juin 1976.

porter, à intervalles réguliers, aux autorités hospitalières... L'image est forte, mais à peine exagérée. Dans *L'invasion pharmaceutique,* Jean-Pierre Dupuy et Serge Karsenty parlent de «la médicalisation du mal-être, c'est-à-dire de la transformation de tout manque de bien-être, quelle qu'en soit la nature, en «problème» dont il est socialement admis qu'il puisse être présenté au médecin[9].» Il ne s'agit pas de faire de l'anti-médecine pour le plaisir, loin de là. Il ne s'agit pas de rejeter en bloc toute la médecine et tous les médecins. Il s'agit plus simplement de nous libérer, individuellement et collectivement, de l'emprise indue qu'en sont venus à exercer sur nous l'appareil médical, le modèle médical, le système médical, le pouvoir médical. De retrouver notre maîtrise sur ce qui se passe dans nos corps et dans nos esprits. De ne plus nous remettre corps et âme à la médecine et aux institutions qui la supportent, de ne plus attendre d'elles les miracles qu'elles ne sont de toutes façons pas nécessairement capables d'effectuer. Un exemple frappant de volonté de «démédicalisation», même s'il comporte à son tour un risque d'excès inverse, c'est ce retour à l'accouchement à la maison dont quelques exemples ont été vécu au Québec depuis les derniers mois; dans un système complètement bâti sur le modèle de l'accouchement en unités ultra-spécialisées, il est sûr que mettre au monde ses enfants dans la chambre du haut à gauche de l'escalier peut paraître quelque peu téméraire; mais il est sûr aussi que *choisir* de le faire est significatif d'un profond besoin de remettre en cause la dépendance à l'appareil médical dans laquelle

---

9. DUPUY, Jean-Pierre et Karsenty, Serge, *L'invasion pharmaceutique,* 1974, page 258.

nous sommes enfermés.

Car ce dont il s'agit au bout du compte, c'est de passer d'une société de dépendants, d'assistés, de béquillards, à une société de personnes autonomes, capables de se prendre en charge et de prendre en charge leur santé, leur travail, leurs loisirs, leurs relations avec les autres. Leur vie, quoi. Capables aussi de contrôler, au niveau de leur petite communauté de base comme au niveau du peuple auquel elles appartiennent, leur destinée collective, leur projet commun, — sans se les faire imposer par les professionnels de la politique, ou de la santé, ou du spectacle, ou de l'éducation, ou de l'organisation. Ce dont il s'agit, c'est de faire une société de gens libres de décider de leur destin social et politique.

UNE UTOPIE?

N'en doutons pas en effet : la santé est une tâche politique. Choisir la santé implique des choix politiques, des transformations politiques. Il est possible de faire, ici et maintenant, un certain nombre de progrès, et de progrès parfois importants. Il est même possible, de façon peut-être marginale mais réelle tout de même, d'expérimenter des modèles nouveaux, d'essayer des voies nouvelles. Mais il faut bien comprendre *en même temps* que le combat pour la santé, cet élément de base de la qualité de la vie individuelle et collective, doit aller plus loin que la réforme de la médecine et de la profession médicale, plus loin que la transformation des attitudes socio-culturelles devant la maladie, la consommation de services ou la santé. Qu'il doit être, en dernière analyse, mené sur le terrain de la politique.

CHOISIR LA SANTÉ

La lecture des chapitres précédents en aura apporté plus d'une preuve. La maladie, a-t-on vu notamment, dépend essentiellement de facteurs sociaux. On « meurt plus » dans l'Est de Montréal, pauvre, que dans l'Ouest, riche. Chaque jour, des centaines de milliers de travailleurs, au Québec ou ailleurs, sont exposés à des agressions de tous genres, toxiques, poussières, fumées, bruit, environnement insalubre, radiations, horaires, cadences, qui menacent leur intégrité physique et mentale, les empoisonnent à petit feu ou les blessent et les tuent par accident. Les personnes les plus défavorisées font proportionnellement plus d'obésité que les autres, ont l'alimentation la plus pauvre, les logements les moins confortables. Ils partent moins souvent, ou pas du tout, en vacances. Les principales causes de décès, qui ont été longtemps les maladies infectieuses, *les maladies de la pauvreté,* de la faim, du froid, des conditions de travail exténuantes, de l'habitat malsain, les principales causes de décès sont aujourd'hui *les maladies de la civilisation,* du stress, de la pollution, de la nutrition déficiente ou débalancée: mais chacun sait que la civilisation n'a pas également réparti ses « bienfaits », qu'elle a asséné une ration de stress, de pollution et de malnutrition injustement grosse aux pauvres, aux chômeurs, aux mal lotis, aux mal nourris, aux mal logés, aux mal payés, aux mal heureux. Dans l'Est de Montréal, encore une fois, on « meurt plus » de maladies cardiaques, de cancers des voies respiratoires, de bronchite ou de cirrhose du foie que dans l'Ouest. Seuls les accidents de véhicules automobiles semblent frapper indistinctement riches et pauvres — il est vrai au-dessus de 15 ans seulement car dans l'Est, les enfants ont encore cette mauvaise habitude, il faut croire, de jouer dans la rue...

Et ce n'est pas tout. L'organisation et le fonctionnement du système dit de santé révèlent eux aussi l'existence de puissants et importants intérêts économiques et politiques. Il y est question de pouvoir et de gros sous, de monopoles et de profits. La pratique médicale subit largement l'influence de stimulants financiers, la profession médicale dans son ensemble se comportant comme une immense entreprise privée et contrôlant étroitement un énorme marché, celui de la maladie. Le type de médecine qui se pratique sous nos cieux, et qui fait appel à toujours plus de technologie, à toujours plus d'installations spécialisées, à toujours plus de main-d'œuvre aussi, ce type de médecine dont pourtant le rendement n'est pas toujours proportionnel aux coûts qu'il engendre, ce type de médecine donc vise plus à bâtir ou à consolider des empires institutionnels ou économico-industriels, qu'à agir dans le but de la promotion de la santé.

On le voit : s'il faut s'atteler à changer la médecine et le système de distribution de soins, s'il faut s'attaquer aux attitudes, aux comportements et aux valeurs que charrie notre milieu socio-culturel, il faut aussi admettre que les changements fondamentaux, que le virage vers la santé, ne pourront s'effectuer sans transformations radicales de notre contexte politique et économique. « Le nouveau contrat médical, dit Fernand Seguin, suppose une redistribution du savoir et du pouvoir ; on ne peut pas demander aux citoyens d'être autonomes en matière de santé et aliénés dans les autres domaines de leur vie[10]. »

---

10. Au colloque de *Critère*, le 6 juin 1976. Le lecteur retrouvera l'essentiel de l'intervention de Fernand Seguin à ce colloque dans les pages de la postface qu'il a faite à ce livre.

CHOISIR LA SANTÉ

Au terme de sa lecture politique d'Illich, Michel Bosquet écrit pour sa part: «La reconquête de la santé suppose l'abolition du travail forcé salarié; elle suppose que les travailleurs recouvrent la maîtrise des conditions, des outils et des buts de leur travail commun; elle suppose une nouvelle culture dont les activités productives cessent d'être des obligations extérieures pour retrouver leur autonomie, leur diversité, leur rythme et devenir joie, communication, hygiène, c'est-à-dire art de vivre[11].»

En d'autres mots, tout ce qui va contre l'aliénation individuelle et collective et se bat pour l'instauration de rapports humains égalitaires, tout ce qui va contre l'exploitation de l'homme par l'homme et se bat pour l'instauration d'une société sans classes, tout ce qui va dans le sens de la libération va dans le sens de la santé. Prépare l'avènement de la République de Santé.

Ou de la République d'Utopie. Car en attendant cet Âge d'or peut-être mythique, c'est avec ce qui nous sert de civilisation qu'il faut compter.

À Seveso, en Italie, une usine laisse échapper, par un beau jour de juillet 1976, un nuage contenant, estime-t-on, 2 kilogrammes de dioxine, l'un des plus terrifiants poisons que l'on connaisse. Regrettable accident, plaide la compagnie, une filiale du plus grand trust du médicament du monde, Hoffmann-La Roche. Catastrophe, répondent les écologistes pendant que la zone jugée dangereuse ne cesse de grandir autour de Seveso et alors qu'un pharmacologue allemand estime que toute la région devrait être interdite pour au moins 15 ans, que les objets et

---

11. BOSQUET, Michel, «Quand la médecine rend malade», *Le Nouvel Observateur,* 21 et 28 octobre 1974.

vêtements appartenant aux victimes devraient être enfouis dans des mines abandonnées ou murés dans du béton, et que les quelque 70 000 personnes possiblement exposées risquent, à plus ou moins longue échéance, des lésions durables au foie, aux reins, dans l'oreille interne, au pancréas, ainsi que des maladies de la peau. Crime, accusent d'autres observateurs en rappelant que l'industrie coupable de pollution par la dioxine, fabriquait par ce procédé le gaz défoliant naguère utilisé par l'armée américaine au Vietnam.

Seveso, c'est l'éco-catastrophe dans ce qu'elle a de plus sensationnel, de plus spectaculaire. Mais il en est d'autres, plus insidieuses et plus sournoises. Il y a le mercure à Minamata, au Japon, ou à Matagami, au Québec. Il y a les déchets radio-actifs, un peu partout à travers le monde, au fond des océans ou sous la calotte glaciaire puisqu'on ne sait pas trop où installer ces cimetières nucléaires qui seront dangereux pendant plusieurs dizaines de milliers d'années. Il y a, plus quotidienne encore, la pollution bête et méchante, celle qu'on ne voit, qu'on n'entend et qu'on ne sent même plus. Il y a les conditions de travail insalubres ou dangereuses imposées à des millions de travailleurs de par le vaste monde industrialisé. Il y a la viande avariée, les additifs alimentaires, les médicaments à la tonne. Il y a, aussi, l'automobile qui tue, la ville qui rend fou, le stress qui rend cardiaque, le travail qui aliène, la télévision qui bourre les crânes. Et la bagarre pour la survie qui fait un peu tout ça à la fois...

Dans nos sociétés du triomphe multinational de la chimie, de l'atome et des bénéfices nets, combien de Seveso nous guettent encore? Combien de Matagami? Combien de massacres par «maladies de civilisation» interposées? On n'ose répondre à ces ques-

CHOISIR LA SANTÉ

tions. Le fait de les poser, pourtant, indique peut-être que la course contre la montre est déjà engagée, dont dépend la santé de l'homme de demain. Et l'existence de celui d'après-demain.

POSTFACE

LA SANTÉ ET LE POUVOIR

Au terme de cet excellent dossier sur La santé des québécois, je désire apporter quelques éléments de réflexion sur la santé et la maladie dans le contexte de la société actuelle.

Depuis nombre d'années, je suis frappé par la difficulté quasi insurmontable que l'on éprouve à formuler une définition de la santé qui soit acceptable aussi bien au philosophe qu'à l'homme de science. On peut imaginer que cette difficulté tient précisément à la nature évanescente de l'objet à définir. Aussi serais-je tenté d'inviter le lecteur à réfléchir à cette proposition apparemment paradoxale: la santé est impossible à définir parce que la santé n'existe pas.

Ce paradoxe, susceptible de faire sourire les uns et de faire grincer les autres, appelle des nuances et des explications. Nous nous évertuons en vain à définir un objet qui nous échappe pour l'opposer à un autre objet, la maladie, que nous croyons mieux connaître mais qui, en réalité, ne se manifeste à nous que par ses aspects catastrophiques. En d'autres mots, nous succombons, dans ce domaine comme dans tant d'autres, au piège du dualisme, quand ce n'est pas à celui de sa démangeaison qui est le manichéisme.

259

Le modèle que je serais tenté de vous proposer échappe à ce piège. Reprenant le paradoxe énoncé tout à l'heure à des fins purement rhétoriques et le reformulant sous l'angle de l'analyse systémique, je suggère à la réflexion le concept d'un continuum dynamique entre la santé et la maladie.

L'analyse des systèmes vivants sous l'angle de la biologie moléculaire peut nous aider à préciser ce concept. Au-delà des organes, des tissus et même des cellules, les organismes vivants, y compris l'homme, nous apparaissent comme des systèmes de relations *d'une complexité de plus en plus prodigieuse à mesure qu'on les explore, du point où nous pouvons nous demander si nous n'avons pas atteint la frontière où les notions de matière et de forme se brouillent et s'entrelacent. Systèmes de relations auxquels sont superposés des* systèmes de régulation *également imbriqués. Que l'on songe, par exemple, à ce qu'est devenue l'endocrinologie moléculaire depuis la découverte des hormones, des hormones trophiques, des prostaglandines et plus récemment de l'A.M.P. et du G.M.P. cycliques. Entre les fonctions de relation et les fonctions de régulation se sont constitués de tels écheveaux que le concept commode de causalité linéaire s'est volatilisé au feu de la complexité. Il est devenu impossible, en parlant du métabolisme intermédiaire, de représenter la réalité par un système d'équations chimiques traditionnelles, bien que l'on continue d'enseigner ces équations dans les collèges et les universités.*

Dans ce contexte, l'état normal, la santé, ou pour reprendre la vieille idée de Claude Bernard pour laquelle je conserve beaucoup d'affection, la constance du milieu intérieur, *ne possèdent qu'une valeur statistique. Pour emprunter son langage à l'univers des communications, l'organisme vivant ressemble à un* réseau de fréquences et d'amplitudes modulées dont le «bruit de fond» est une caractéristique essentielle, tout bruit de fond étant une potentialité pathologique. La maladie n'est qu'une modulation de la santé et la santé, un écart statistique acceptable autour d'une moyenne qui n'a de valeur que théorique.

Considérons le cas de la maladie qui charrie le plus de terreurs et de fantasmes : le cancer. On estime généralement que tout individu en santé, selon la définition courante, produit constamment, à même ses cellules-souches, quatre millions de nouvelles cellules par seconde, dont plusieurs peuvent être qualifiées de cancéreuses. Ces cellules à potentialité cancéreuse sont heureusement éliminées par les mêmes réactions de rejet qui s'opposent à la transplantation des organes. Selon Folkman, de Harvard, la probabilité pour une cellule humaine individuelle de devenir cancéreuse est extrêmement faible, mais il n'en demeure pas moins que l'individu en santé est un producteur quotidien de cellules cancéreuses. En généralisant le phénomène, on pourrait affirmer que la santé et la maladie représentent des modulations, en opposition de phase, des phénomènes vitaux.

Ce point de vue, je l'accorde volontiers, est réductionniste et n'épuise pas la réalité, surtout pas la réalité de la douleur. Mais il offre l'avantage de faire voler en éclats la fameuse causalité linéaire qui est la clef de voûte de presque toute la recherche biomédicale depuis Descartes, au profit d'une causalité en réseau, d'une causalité réticulaire beaucoup plus enrichissante.

Rien n'illustre mieux les méfaits d'une approche centrée sur la causalité linéaire que l'histoire de la psychiatrie au XIXe siècle. Une grande querelle l'a marquée, dont les fureurs ne sont pas encore dissi-

261

pées. *Cette querelle porte essentiellement sur une confusion que je vais essayer de résumer.*

On sait que l'examen microscopique des tissus sains ou altérés a été l'une des grandes conquêtes de la biologie au siècle dernier, et nul ne contestera qu'elle a constitué le fondement d'une grande partie de la médecine d'aujourd'hui. À peine naissante, la microscopie autorisait tous les espoirs et, lorsqu'on l'appliqua à l'étude du cerveau, on crut détenir enfin la clef des manifestations psychiques anormales. Le coup d'envoi fut d'ailleurs une victoire: la découverte par Antoine Bayle de lésions organiques, associée à la «maladie mentale» connue alors sous le nom de paralysie générale. Cette découverte, suivie des recherches de Rostany sur «le ramollissement cérébral» a amené l'école française à décrire la folie comme une maladie du cerveau, identifiable au microscope. Calmeil, un des plus solides aliénistes du siècle, publia en 1859 son Traité des maladies inflammatoires du cerveau, *véritable monument de l'école anatomo-pathologique.*

Dans le même temps, l'école allemande cédait à un romatisme inspiré de la «Naturphilosophie» et Émile Kraepelin identifiait deux types de «maladies mentales» irréductibles à l'examen microscopique: la psychose maniaco-dépressive et la démence précoce (que l'on appela plus tard la schizophrénie). Ces deux dernières pertubations constituent aujourd'hui la grande majorité des états psychiques anormaux.

D'un côté donc, un petit nombre de maladies auxquelles il est possible d'assigner une «cause» organique; de l'autre, un grand nombre d'affections qui résistent à l'analyse microscopique et auxquelles on attribue une origine «fonctionnelle» ou «psychogène». De nouveau se cristallise le dualisme matière/

esprit dont le second volet sera accentué par les ful-gurantes percées de Freud dans le domaine de l'in-conscient. Ce sera l'éclipse momentanée des orga-nicistes aux dépens des psychogénistes, ces der-niers feignant d'oublier que Freud lui-même avait déjà écrit: «Tout ce que je raconte ici sera un jour expliqué par la biologie ».

L'essence de cette confusion, on le voit au-jourd'hui, reposait sur une insuffisance technologi-que. Toute altération qui échappait à l'examen mi-croscopique classique se voyait affublée de l'éti-quette «fonctionnelle », comme si le microscope était le seul outil susceptible de déceler une anomalie! C'était faire peu de cas de la biochimie naissante qui, ayant dépassé le stede du catalogue, s'atta-chait à l'étude du métabolisme intermédiaire.

Tel était à peu près l'absurde dilemme qui sé-vissait encore en ces années cinquante, dilemme qui pétrifiait l'exploration des maladies mentales.

On pourrait consacrer un ouvrage entier au rôle qu'ont joué les techniques, les appareils, les outils, dans l'établissement de notre vision du monde et de nous-mêmes. Orstein, dans The Nature of Human Consciousness, *cite à cet égard une remarque pro-fonde d'Abraham Maslow, que je traduis librement: «Si le seul outil de l'homme avait été un marteau, il aurait eu tendance à traiter tous les objets comme des clous». Lorsque l'outil privilégié de la recher-che biologique est un microscope qui grossit mille fois, on ne croit réel que ce qui est visible sous ce grossissement. Le reste échappe à l'outil et on finit par en nier l'existence. Que faisait l'homme primitif lorsqu'il ne disposait que de silex pointus? Il fendait, trouait, perçait... Mais, revenons à notre propos.*

Amené il y a vingt-cinq ans, dans des circons-tances assez risibles, à donner des cours de biologie moléculaire à de jeunes psychiatres récemment revenus de stages de formation à l'étranger, j'avais imaginé, aux fins d'abolir ce dualisme stérilisant, de substituer à la notion de causalité linéaire, celle de causalité réticulaire au sein de laquelle les «effets» et les «causes» devenaient des figures interchangeables d'un ballet où l'esprit et la matière pouvaient tour à tour porter les mêmes masques. L'ahurissement que je provoquai, chez des gens nourris de thomisme, en secouant le principe de causalité linéaire, rendit bientôt vaine toute communication...

On pourrait citer de nombreux exemples de la pensée linéaire appliquée à la recherche biomédicale. Le grand débat, amorcé depuis quelques années entre les partisans de la recherche de type classique et les tenants de recherches épidémiologiques, n'est-il pas en définitive une querelle qui met en jeu d'une part la causalité linéaire et, d'autre part, la corrélativité, sinon la causalité, réticulaire?

La pensée linéaire, sœur jumelle de la pensée dualiste, mène tout droit aux fausses distinctions entre l'âme et le corps, entre la santé et la maladie. Elle débouche sur le processus cause-maladie-remède-guérison, donc sur la médicalisation de la santé, avec toutes les conséquences que nous déplorons aujourd'hui. Mais si nous abandonnons la pensée linéaire, à quoi allons-nous nous raccrocher? Quels seront nos outils et nos viatiques?

La réponse est claire, mais son application au vécu quotidien va exiger de nous un effort collectif qui équivaut à une véritable révolution culturelle. Renonçant à la poursuite des causalités linéaires, nous allons revenir aux préceptes d'hygiène, c'est-à-dire, étymologiquement, aux préceptes de santé, de conservation de la santé. Nous n'attendrons de la chirurgie et de la thérapeutique que les secours de pointe: *l'excision, la résection, la réduction et tous les raffinements de la tuyauterie vasculaire et de la haute couture tissulaire; la lutte massive contre les infections brutales; le soulagement des douleurs intolérables; et lorsque les recours auront été épuisés, nous demanderons à la médecine de nous prêter une main amie pour nous aider à franchir dignement les portes de la mort. En somme, dans l'optique du continuum santé-maladie, en nous inspirant de la théorie mathématique de René Thom sur les catastrophes, nous ne demanderons à la médecine que des interventions péri-catastrophiques. Le reste, nous l'exigerons de nous-mêmes. Telles pourraient être, sommairement schématisées, les clauses d'un nouveau contrat médical.*

Ce contrat est inséparable d'un projet de société, d'une société radicalement différente de celle à laquelle nous adhérons, car il suppose une redistribution du savoir et du pouvoir, c'est-à-dire une révolution culturelle en profondeur.

Ce qu'il faut dire d'essentiel, c'est qu'on ne peut pas demander aux citoyens de devenir autonomes quant à leur santé en les laissant aliénés quant à tout le reste.

Dans le domaine de la santé, le savoir contemporain repose essentiellement sur la formation médicale universitaire. Le citoyen n'est qu'un consommateur de soins, et la société de consommation, par définition, s'abstient de faire connaître à ses membres ce qu'ils achètent exactement. Je rêve donc d'un manifeste préparé par le corps médical, qui remplacerait le serment d'Hippocrate et qui se lirait à peu près comme suit: «Nous, médecins, inscrits à la faculté grâce à un processus de sélection qui privilégie une forme d'intelligence symbolisée par les succès scolaires, indépendamment de tout autre qua-

lité humaine, avons reçu une formation académique dont les traits marquants sont l'acquisition d'un vocabulaire de trente mille mots, la dissection d'un cadavre, l'apprentissage d'un nombre considérable de données théoriques et la familiarité, au sein des C.H.U., des maladies les plus rares et les moins représentatives des problèmes de santé de la population. Bardés de nos diplômes, détenteurs d'un arsenal de drogues dont nous connaissons parfois mal les mécanismes et les interactions, nous vous accueillons dans nos cabinets, aussi angoissés que vous pouvez l'être, car nous ne connaissons guère plus que vous votre sexualité, votre alimentation, la qualité de votre vie, et nous ne savons pas comment réagir devant l'insomnie, la fatigue, les vagues douleurs lombaires, la dépression diffuse, le stress, l'aliénation et la solitude, tout ce cortège de syndromes étrangers à notre formation professionnelle et qui forme l'essentiel de votre détresse. Happés par le système, nous n'avons pas le temps de vous expliquer notre impuissance; voici donc des pilules, des comprimés, des cachets dont la plupart sont des sousproduits de l'industrie des colorants du XIXe siècle. Ces mystères nous échappent; nous feignons d'en être les grands-prêtres. »

Dans ce qui précède, qu'on ne voie aucune trace d'ironie; je ne joue pas à l'anti-médecin comme on jouait à l'anti-curé aux beaux temps de la révolution tranquille. Je dis simplement que l'humilité publique du corps médical serait peut-être un ressort, un aiguillon qui stimulerait chez les citoyens la prise en charge de leur santé, le désir de leur autonomie personnelle. Ce désir, cette prise en charge ne sont possibles que par la connaissance. Quand je vois la liste des priorités établies par nos ministères de la santé, je m'étonne de ne pas y voir figurer l'apprentissage du corps dès les premières années de scolarité. *Comment avons-nous pu instaurer une réforme de l'éducation en négligeant d'apprendre à nos enfants le lieu, la structure et le fonctionnement de leurs propres organes? Comment peut-on parler d'artériosclérose à des gens qui ne connaissent même pas l'existence et le fonctionnement de leurs artères? Comment prévenir les frustrations et les névroses lorsque les notions les plus élémentaires d'hygiène sexuelle sont encore, sauf exception, des sujets tabous dans nos écoles? Comment espérer redonner aux gens l'administration autonome de leur corps et de leur santé quand ils n'en ont ni la connaissance ni le goût? Faut-il continuer de faire peur? Faut-il multiplier les avertissements? Nous savons trop à quels échecs ont abouti les campagnes publicitaires contre les abus des substances dommageables à la santé, qu'il s'agisse de l'alcool, du tabac ou des autres drogues. Toutes ces campagnes se sont heurtées à l'ignorance et au scepticisme. À l'ignorance parce qu'on ne saurait prendre soin d'une machine dont on ignore les rouages; au scepticisme parce qu'il est illusoire d'inviter les citoyens à vivre plus vieux quand on considère le scandale permanent que constitue la situation faite aux vieillards dans notre société. Ce sont là des considérations qui mériteraient de longs développements et sans doute d'ardents réquisitoires. Je me résumerai en disant qu'aucune entreprise de planification des soins de santé ne me paraîtra valable tant qu'elle ne s'appuiera pas sur une éducation étendue à l'ensemble de la population, en particulier dans les années où se forment les bonnes ou les mauvaises habitudes de vie.*

Tout aussi importante m'apparaît la connaissance des risques de santé liés à l'existence des lieux de travail. Dans ce domaine, l'incurie de nos dirigeants a été, jusqu'à tout récemment, rien de moins que scandaleuse. Alors que l'on exhorte les citoyens à une saine alimentation, à la gymnastique et à la modération, la majorité des travailleurs passent le tiers de leur vie adulte dans des lieux qui agressent leur santé physique et mentale. J'entends beaucoup, depuis quelques années, parler de la qualité de l'environnement, mais je me demande si, dans l'esprit des militants, ce concept englobe l'environnement immédiat des travailleurs. Quelle est la priorité des recherches et des législations axées sur la protection de la santé des ouvriers et même des collets blancs, dont les conditions de travail, pour être moins brutalement toxiques, n'en sont pas moins une source de frustration et d'aliénation?

Réinventer l'homme, redéfinir l'homme dans ses rapports avec la nature et avec le cosmos, c'est bouleverser l'image que nous nous faisons de nous-mêmes et, parallèlement, celle que nous nous faisons de nos rapports interpersonnels, y compris les rapports de domination.

Il ne faut pas s'illusionner sur la difficulté de l'entreprise, accessible aux seuls individus capables de remettre en question les idées reçues. C'est un long cheminement qui passe par la renonciation à l'homme-roi et par l'acceptation d'une nouvelle condition humaine libérée des dualismes qui ont aveuglé sa conscience et faussé son destin. Alors seulement, pourrons-nous accéder, non pas au soleil plastifié de la nouvelle carte-maladie, mais à ce que Montaigne appelle «la belle lumière de la santé».

Fernand Seguin

BIBLIOGRAPHIE

BENSAID, Norbert, «Médecine à la québécoise», *Le Nouvel Observateur*, Paris, 22 septembre 1975.

BLAIN, Gilbert, «Illich contre Castonguay», *Le Médecin du Québec*, Montréal, octobre 1975, 9-11.

BLANCHET, Madeleine, m.d., *Indices de l'état de santé de la population du Québec*, Annexe 3 au rapport de la Commission d'enquête sur la santé et le bien-être, Québec, 1970, 569 p.

BOSQUET, Michel, «Quand la médecine rend malade», *Le Nouvel Observateur*, nos 519 et 520, Paris, 21 et 28 octobre 1974.

BOULIANNE, Jacques, «Le médecin imaginaire», *Critère*, n° 14, Collège Ahuntsic, Montréal, juin 1976, 211-218.

BRUNET, Dr Jacques, *Priorités dans le domaine de la santé* au Québec, allocution prononcée au colloque de la revue *Critère*, Centre d'art d'Orford, 6 juin 1976, 23 pages plus annexe, miméographié.

CANADA, Conseil des sciences, *Les services de santé et la science*, rapport n° 22, Ottawa, octobre 1974, 144 p.

CANADA, Ministère de la Santé nationale et du Bien-être social, *Indicateurs du domaine de la santé pour la politique sanitaire, Canada et provinces*, par Jean-Marie Romeder et John R. McWhinnie, Ottawa, décembre 1974, 54 p. plus annexes, miméographié.

CANADA, Ministère de la Santé nationale et du Bien-être social, *Nutrition Canada, compte rendu de l'étude menée au Québec,* Ottawa, 1975, 172 p. plus tableaux.

CANADA, Ministère de la Santé nationale et du Bien-être social, *Un aperçu des problèmes liés à l'alcool,* Ottawa, mai 1976, 65 p.

CANADA, Ministère de la Santé nationale et du Bien-être social, *Usage du tabac au Canada de 1965 à 1974,* Ottawa, janvier 1976, 27 p.

CHALVIN, Solange, « L'opinion des Québécois sur la profession médicale », *Le Devoir,* Montréal, 9 août 1975.

CONTANDRIOPOULOS, André-Pierre, « L'activité professionnelle des médecins du Québec, vol. XVI, n° 1 (édition spéciale), Montréal, janvier 1976, 7-43.

CONTANDRIOPOULOS, A.P., *Priorités réelles du système de santé au Québec, quelques données chiffrées,* document préparé pour le colloque de l'Association canadienne des sociologues et anthropologues de langue française, Sherbrooke, mai 1976, 9 p. plus annexes, miméographié.

CONTANDRIOPOULOS, A.P., LANCE, J.M. et MEUNIER, C., « Un regroupement des comtés de la province de Québec en régions homogènes », *L'Actualité économique,* Montréal, octobre-décembre 1974, 572-586.

DESROSIERS, George, « Les Départements de santé communautaire : une expérience québécoise », *Canadian Journal of Public Health,* vol. 67, March/April 1976, 109-113.

DOROZYNSKI, Alexandre, *Médecine sans médecins,* Centre de recherches pour le développement international, Ottawa, 1975, 64 p.

DUBOS, René, *L'homme et l'adaptation au milieu,* Éditions Payot, Paris, 1973, 472 p.

DUFRESNE, Jacques, « Efficacité et rendement dans les services de santé : une entrevue avec A.L. Cochrane », *Critère,* n° 13, Collège Ahuntsic, Montréal, juin 1976,

115-128. Voir également, dans les numéros 13 et 14 de *Critère*, les entrevues de Jacques Dufresne avec Philippe Ariès, François Dagognet, Claude Forget et Marc Lalonde.

DUFRESNE, Jacques, « Radiographie de la pratique médicale », *Critère*, n° 14, Collège Ahuntsic, Montréal, juin 1976, 39-47.

DUFRESNE, Jean-V., « La Santé coûte-t-elle trop cher? », *Le Devoir*, Montréal, 12, 13, 15, 16 et 17 avril 1974.

DUPUY, Jean-Pierre et KARSENTY, Serge, *L'invasion pharmaceutique*, Éditions du Seuil, Paris, 1974, 269 p.

DUSSAULT, Gilles, *La profession médicale au Québec (1941-1971)*, Institut supérieur des sciences humaines, Université Laval, Québec, 1974, 133 p., miméographié.

DUSSAULT, Gilles, *Le monde de la santé, 1940-1975 : bibliographie*, Institut supérieur des sciences humaines, Université Laval, Québec, 1975, 170 p., miméographié.

DUSSAULT, Gilles, « Les médecins du Québec (1940-1970) », *Recherches sociographiques*, vol. XVI, 1, 1975, Les Presses de l'université Laval, Québec, 69-84.

ELLENBERGER, Henri F., « Réflexions sur la guérison », *Critère*, n° 14, Collège Ahuntsic, Montréal, juin 1976, 163-188.

ELLIOTT, Jacques, AZZARIA, Louis M., BARBEAU, André, *Dossier mercure, de Minamata à Matagami*, Les Publications Plein-Air Inc., Montréal, 1975, 157 p.

FATTAH, Ezzat Abdel, GAUDREAU-TOUTAN Cécile et TREMBLAY, Roch, *L'alcool chez les jeunes Québécois*, Les Presses de l'université Laval, Québec, 1970, 102 p.

FATTAH, Ezzat Abdel, « Le suicide au Canada et au Québec », *Le Médecin du Québec*, vol. 8, n° 9, Montréal, septembre 1973, 28-31 et 44-45.

FOREST, Denis, DUQUETTE, P. et BÉIQUE, Claude, *Étude épidémiologique sur la santé bucco-dentaire d'une population de personnes totalement édentées du Québec*, rapport préparé pour l'Office des professions du Québec, Montréal, 1976, 31 p. plus annexes.

FOUCAULT, Michel, *Naissance de la clinique,* Presses universitaires de France, Paris, 1972, 215 p.

GIROUX, Raymond, «Faut-il ruiner sa santé pour gagner sa vie?», *Le Soleil,* Québec, 15 novembre 1975.

GUYON-BOURBONNAIS, Louise, BERNARD, Jean-Marc, BLANCHET, Madeleine, «Disparités régionales dans la mortalité au Québec», *L'Union médicale du Canada,* (à paraître).

HARVEY, Fernand et SAMUEL, Rodrigue, *Matériel pour une sociologie des maladies mentales au Québec,* Institut supérieur des sciences humaines, Université Laval, Québec, novembre 1974, 144 p., miméographié.

ILLICH, Ivan, *Némésis médicale,* Éditions du Seuil, Paris, 1975, 210 p.

LABERGE-DUFRESNE, Hélène, «La Vallée des Immortels», *Critère,* n° 13, Collège Ahuntsic, Montréal, juin 1976, 259-274.

LAFOREST, Lucien, «La prévention au Québec: une priorité oubliée», *Critère,* n° 13, Collège Ahuntsic, Montréal, juin 1976, 31-42.

LAFRAMBOISE, Josette, *Une question de besoins,* Le Conseil canadien de développement social, Ottawa, juillet 1975, 529 p., miméographié.

LALONDE, Marc, *Nouvelle perspective de la santé des canadiens,* Gouvernement du Canada, Ottawa, avril 1974, 82 p.

LALONDE, Marc, *Nouvelle perspective de la santé des canadiens,* Gouvernement du Canada, Ottawa, avril 1974, 82 p.

LAROUCHE, Daniel, «Cinq ans d'assurance-maladie: cinq pas vers une santé meilleure?», *Critère,* n° 14, Collège Ahuntsic, Montréal, juin 1976, 27-38.

LEVINSON, Charles, *Les trusts du médicament,* Éditions du Seuil, Paris, 1974, 160 p.

LOSLIER, Luc, *La mortalité dans les aires sociales de la région métropolitaine de Montréal,* rapport d'un projet commandité par la direction générale de la planification du ministère des Affaires sociales, Montréal, août 1976, 97 p. plus 23 cartes en annexe.

LOSLIER, Luc, *La mortalité selon certaines causes-âge dans les divisions de recensement au Québec,* rapport présenté au service des études épidémiologiques, ministère des Affaires sociales, Montréal, août 1975, 143 p. plus annexes, miméographié.

MACCIOCCHI, Maria-Antonietta, *De la Chine,* Éditions du Seuil, Paris, 1971, 570 p. Voir notamment le chapitre X: « La médecine en Chine ».

MAHLER, Halfdan, « A Demystification of Medical Technology », *The Lancet,* Boston, Mass. and London, 1 November 1975, 829-833.

MARTIN, Yves, « Du traitement de la maladie à la promotion de la santé: les conversions nécessaires », *Critère,* n° 13, Collège Ahuntsic, Montréal, juin 1976, 19-30.

MIGUÉ, Jean-Luc et BÉLANGER, Gérard, *Le prix de la santé,* Éditions Hurtubise HMH, Montréal, 1972, 238 p.

MINKOWSKI, Alexandre, *Le mandarin aux pieds nus, entretiens avec Jean Lacouture,* Éditions du Seuil, Paris, 1975, 243 p.

MONGEAU, Serge, « Les médecins face aux CLSC: de la lutte contre la maladie au combat pour la santé... », *Le Jour,* Montréal, 2 mars 1976, p. 18.

MONGEAU, Yves, « Les priorités dans le domaine de la santé », *Critère,* n° 14, Collège Ahuntsic, Montréal, juin 1976, 13-26.

OUELLET, Florian, *La santé et la sécurité au travail,* Institut de recherche appliquée sur le travail, Montréal, septembre 1975, 72 p.

PARÉ, Jean et PINARD, Daniel, « La médecine, opium du peuple », *Le MacLean,* Montréal, juillet 1975.

PRADAL, Dr Henri, *Guide des médicaments les plus courants,* Éditions du Seuil, Paris, 1974, 255 p.

PRADAL, Dr Henri, *Les grands médicaments,* Éditions du Seuil, Paris, 1975, 311 p.

PROULX, Jean, «Pour une médecine sociale et préventive: une entrevue avec le Dr Maurice Jobin», *Critère,* n° 13, Collège Ahuntsic, Montréal, juin 1976, 129-139.

PROVOST, Gilles, «La meilleure façon de tuer un homme ou: le dossier noir de la cigarette», *Québec Science,* vol. 15, n° 1, Québec, septembre 1976.

PROVOST, Gilles, «Santé et travail», *Le Devoir,* Montréal, 22, 24, 25 et 26 février 1975.

QUÉBEC, Comité de la recherche scientifique, *Pour une politique de recherche en affaires sociales,* Ministère des Affaires sociales, Québec, 1973, 253 p., miméographié.

QUÉBEC, Comité d'étude et d'intervention sur le mercure au Québec, *Rapport préliminaire, 1-mission Matagami,* Ministère des Affaires sociales, Québec, janvier 1976, 30 p., miméographié.

QUÉBEC, Comité d'étude sur la condition physique des Québécois, *Rapport présenté au Ministre d'État responsable du Haut-Commissariat à la Jeunesse, aux Loisirs et aux Sports,* Québec, juillet 1974, 303 p., miméographié.

QUÉBEC, Commission d'enquête sur la santé et le bien-être social, *Rapport,* Québec, 1967-1970, 7 volumes. Voir notamment les volumes 1 *(L'assurance-maladie)* et 4 *(La santé),* et les annexes au Rapport.

QUÉBEC, Conseil de la politique scientifique d Québec, *Inventaire de la recherche dans le domaine de la santé au Québec 1972-1973,* Projet AREQ, Québec, 1er novembre 1974, 179 p.

QUÉBEC, Ministère de l'Éducation, en collaboration avec le ministère des Affaires sociales, *Rapport de l'Opération sciences de la santé,* Québec, avril 1976, 509 p. (2 volumes), miméographié.

QUÉBEC, Ministère des Affaires sociales, *Aspect régional de la consommation et de la production des services de santé,* Programme de recherche MEDICS, par Hung-Nguyen et Mme Minh-Phuong Tran Voba, Québec, janvier 1973, 115 p., miméographié.

QUÉBEC, Ministère des Affaires sociales, *La géographie de la mortalité au Québec, 1969-1972,* par Jean-Marc Bernard et Louise Guyon-Bourbonnais, sous la direction de Madeleine Blanchet, m.d., Québec, décembre 1975, 180 p., miméographié.

QUÉBEC, Ministère des Affaires sociales, *Les principales causes de décès dans la population active, Québec 1951-1971,* par Louise Guyon-Bourbonnais, Québec, janvier 1974, 83 p., miméographié.

QUÉBEC, Ministère des Affaires sociales, *Performance des hôpitaux, 1969-1974, établissements publics de soins généraux,* par André Toupin et Jacques Lefort, Québec, octobre 1975, 147 p., miméographié.

QUÉBEC, Ministère des Affaires sociales, *Perspectives à l'égard des centres locaux de services communautaires,* Québec, juillet 1976, 4 p.

QUÉBEC, Ministère des Affaires sociales, *Rapport annuel 1974-75,* Québec, juin 1975, 110 p. Voir aussi éditions antérieures.

QUÉBEC, Ministère des Affaires sociales, *Statistiques des Affaires sociales,* Québec. Voir notamment: «Démographie» (vol. 2, n° 3, novembre 1974), «Données démographiques» (vol. 2, n° 6, mai 1975), «Santé» (vol. 2, n° 9, décembre 1975), miméographié.

QUÉBEC, Ministère des Affaires sociales, *Statistiques régionales des Affaires sociales,* Québec, avril 1975, 182 p. plus cartes.

QUÉBEC, Office des professions du Québec, *Rapport au lieutenant-gouverneur en conseil concernant certains projets de règlement soumis par l'Ordre des pharmaciens du Québec,* Québec, 15 janvier 1975, 55 p., miméographié.

QUÉBEC, Régie de l'assurance-maladie du Québec, *Effet des modifications à l'entente sur la dispensation des injections de substance sclérosante,* Québec, août 1976, 40 p.

QUÉBEC, Régie de l'assurance-maladie du Québec, *Rapport annuel,* Québec Éditions disponibles: 1969-1970 à 1975-1976.

QUÉBEC, Régie de l'assurance-maladie du Québec, *Statistiques annuelles,* Québec. Éditions disponibles: 1971 à 1975 (sous presse).

QUÉBEC, Régie de l'assurance-maladie du Québec, *Un tour d'horizon: la consommation des services médicaux en 1971-72,* par Richard David et Daniel Larouche, Québec, juillet 1975, 46 p., miméographié.

RAYMOND, Luc, «Vers de nouvelles mesures du niveau de santé des populations», *Médecine et Hygiène,* n° 1182, Genève, 18 février 1976.

REMIS, Robert, STEWART, Barbara et GILL, Marc, *Rapport sur la santé des Indiens du Québec,* Association des Indiens du Québec, Caughnawaga, décembre 1975, pagination variée, miméographié.

RENAUD, Marc, «On the Structural Constrains to State Intervention in Health», *International Journal of Health Services,* vol. 5, number 4, 1975, 559-571.

RIVARD, Jean-Yves, *L'avenir de la médecine au Québec,* conférence prononcée au colloque de la revue *Critère,* Mont-Orford, 6 juin 1976, 8 p., miméographié.

RIVARD, Jean-Yves, «Les effectifs médicaux au Québec: situation actuelle et projection 1974-1978», *Bulletin de la Corporation professionnelle des médecins du Québec,* vol. XV, n° 5, (édition spéciale), Montréal, novembre 1975, 139-161.

RIVARD, Jean-Yves et al., *L'évolution des services de santé et des modes de distribution des soins au Québec,* Annexe 2 au rapport de la Commission d'enquête sur la santé et le bien-être, Québec, 1970, 125 p.

ROCHON, Jean, « La santé communautaire dans le système régional des services de santé et des services sociaux », *Annuaire du Québec,* (à paraître).

ROY, Jean-Yves, « Médecine : crise et défi », *Recherches sociographiques,* vol. XVI, 1, 1975, Les Presses de l'université Laval, Québec, 43-67.

SAUCIER, Guy, m.d., *L'avenir de la médecine au Québec,* allocution prononcée au colloque de la revue *Critère,* 6 juin 1976, 20 pages, miméographié.

SERGENT, J.P., « Le chantage aux protéines », *Science et Vie,* Paris, octobre 1975.

SÉVIGNY, Jeannine, « Jean Trémolières », *Critère,* n° 14, Collège Ahuntsic, Montréal, juin 1976, 189-196.

SIMARD, Marcel, *Conditions de travail et santé des travailleurs : le cas du régime rotatif de travail,* communication au colloque de l'Association canadienne des sociologues et anthropologues de langue française, Sherbrooke, mai 1976, 18 p., miméographié.

SIMARD, Paul et LUSSIER, J.-P., « Les soins dentaires au Québec », *Journal de l'Association dentaire canadienne,* vol. 36, n° 7 et 12, s.1., juillet 1970 et décembre 1970, 265-272 et 452-459.

STAFFORD, Jean, « Analyse et critique de l'idéologie naturiste », *Critère,* n° 14, Collège Ahuntsic, Montréal, juin 1976, 197-210.

TÉTREAULT, André, « Une définition des CLSC par les CLSC », *Critère,* n° 14, Collège Ahuntsic, Montréal, juin 1976, 61-65.

THÉBERGE, Rémi, LÉVESQUE, Denis e BROUSSEAU, André, « Le prix de notre santé », *Le Soleil,* Québec, 24 janvier 1975. Témoignage d'ouvriers de la Canadian Steel Foundries.

THIBAULT, Danyelle, *Contrôle de la fécondité,* document préparé pour Carrefour 75, Conseil du statut de la femme, Québec, mai 1975, 26 p. plus annexes, miméographié.

THIBAULT, Danyelle, *La femme et la santé,* document préparé pour Carrefour 75, Conseil du statut de la femme, Québec, mai 1975, 36 p. plus annexes, miméographié.

TURCOTTE, Fernand, «Les limites de la clinique», *Critère,* n° 14, Collège Ahuntsic, Montréal, juin 1976, 85-92.

VILLEDIEU, Yanick, «Démédicaliser l'alcoolisme», *Québec Science,* vol. 14, n° 6, Québec, février 1976, 12-19.

VILLEDIEU, Yanick, «Maladies vénériennes: une question d'éducation», *Québec Science,* vol. 14, n° 3, Québec, novembre 1975, 12-16.

VILLEDIEU, Yanick, «Médicaments: un régime de drogués», *Québec Science,* vol. 13, n° 7, Québec, mars 1975, 19-31.

VINET, Alain, *Épistémologie et sociologie de la médecine: bibliographie,* Institut supérieur des sciences humaines, Université Laval, Québec, 1969, 51 p. miméographié

La bière, le vin et les spiritueux: leurs caractéristiques et les politiques gouvernementales au Canada, rapport du comité d'étude sur les boissons alcooliques, Association des brasseries du Canada, Ottawa, 1973, 164 p.

«La santé», *Critère,* n° 13 et n° 14, Collège Ahuntsic, Montréal, juin 1976, 274 p. et 284 p. Un troisième numéro spécial de *Critère* sur la santé doit paraître à l'automne 1976.

«La santé des Québécois, entrevue avec le docteur Madeleine Blanchet-Patry», *Le Médecin du Québec,* vol. 6, n° 8-9, Montréal, août-septembre 1971, 12-14.

Les besoins de coordination régionale dans l'acquisition de main-d'œuvre infirmière, Conseil de la santé et des services sociaux du Montréal métropolitain, Québec, septembre 1975, 83 p., miméographié.

«Le travail qui tue», *Le Travail* (numéro spécial), Confédération des syndicats nationaux, Montréal, mars-avril 1975, 10-31.

«Médecins chez les Cris et les Inuits, une entre-vue avec le docteur Charles Dumont», *Le Médecin du Québec,* Montréal, octobre 1975, 15-24.

On est de 10 000 à 25 000 à avorter chaque année, Comité de lutte pour l'avortement et la contraception libres et gratuits et Centre des femmes, Montréal, 8 mars 1975, 48 pages.

«Sociologie de la santé», *Recherches sociographiques,* vol. XVI, 1, 1975, n° spécial, Les Presses de l'université Laval, Québec, 132 p.

Surveillance de l'environnement et de la santé en médecine du travail, Rapport d'un comité d'experts de l'Organisation mondiale de la santé, n° 535, Genève, 1973, 54 p.

«Dossier spécial sur les médicaments», *Québec Médical,* vol. 12, n° 10, Montréal, janvier 1973, 2020 p.

INDEX

TABLE ANALYTIQUE DES MATIÈRES

Les pouvoirs publics et la santé des travailleurs (la législation, l'inspection, la Commission des accidents de travail, le Comité interministériel, le ministère des Affaires sociales). Manque de médecins-hygiénistes. Inexistence de la recherche. Deux conceptions opposées (l'approche patronale, l'approche syndicale). Les travailleurs de plus en plus conscients du problème. Les luttes seront longues.

vaises habitudes alimentaires. L'obésité. L'alcool, la caféine, les diètes pauvres en résidus.

Des besoins très importants. Les jeunes. Habitudes alimentaires et santé dentaire.

Un problème sous contrôle. Des progrès sont encore à réaliser. Les maladies transmises sexuellement (recrudescence, les jeunes comme population-cible, difficulté de contrôler les MTS).

Un problème de santé individuelle et collective des plus importants. Le suicide. Détérioration de notre état de santé mentale.

LE SYSTÈME DE LUTTE CONTRE LA MALADIE

Surabondance de médecins. Une profession masculine. Âge du corps médical. Surspécialisation des effectifs. Mauvaise répartition régionale. Rémunération. Évolution récente de la profession. Le syndicalisme médical. Les médecins et l'assurance-maladie. Omnipraticiens contre spécialistes. L'idéologie professionnaliste.

Acte infirmier et acte médical. Conditions de travail difficiles. Instabilité de la main-d'œuvre. Pénurie. La formation des infirmières.

Manque sérieux de dentistes. Des entrepreneurs isolés. Le coût des soins. Difficulté d'améliorer la santé dentaire des Québécois. Manque de pharmaciens. Revalorisation de la profession.

Les travailleurs sociaux. Les administrateurs. Les

professionnels de la réadaptation. Les scientifiques en milieu de santé. Le partage des champs de compétence: l'exemple de l'œil. Concurrence entre professions. Acupuncteurs, naturopathes, podiatres, chiropraticiens. Mais la médecine est une et vraie...

de la médecine comme technique d'intervention contre la maladie. Les limites de la clinique. La médecine qui rend malade. Iatrogénèse clinique et iatrogénèse sociale. Remise en cause du modèle curatif traditionnel. Crise du statut scientifique de la médecine. Une science-carrefour et ses savoirs d'approvisionnement. D'Hippocrate à Pasteur, en passant par la Renaissance et par Descartes. Nécessité d'un nouveau « regard médical ».